LA EVOLUCION LITERARIA DE JUAN GOYTISOLO

COLECCION POLYMITA

EDICIONES UNIVERSAL. Miami, Florida, 1979

HECTOR R. ROMERO

LA EVOLUCION LITERARIA
DE JUAN GOYTISOLO

P.O. BOX 450353 (Shenandoah Station)
Miami. Florida, 33145. USA.

© Copyright 1979 by Héctor R. Romero

Library of Congress Catalog Card Number: 78-74702

I.S.B.N.: 0-89729-222-7

Depósito Legal: B. 11.603-1979

Printed in Spain   Impreso en España

Impreso en el complejo de Artes Gráficas Medinaceli, S. A.,
General Sanjurjo, 53, Barcelona-25 (España)

INTRODUCCION

Juan Goytisolo se da a conocer como escritor bajo la influencia del realismo crítico de la generación del medio siglo.[1] Al discutir los postulados y tendencias de esta generación hablaremos de tres denominadores comunes: la temática, las influencias literarias y el método narrativo. Lo primero que salta a la vista al examinar las novelas de Juan Goytisolo, Armando López Salinas, Jesús López Pacheco y José Manuel Caballero Bonald —citando solamente algunos miembros de esta promoción— es la unidad temática respecto al problema social que plantean en sus obras. Las desastrosas consecuencias que la guerra trajo al mundo literario van desapareciendo lentamente. El pueblo español comienza a salir de su aislamiento intelectual para incorporarse a las corrientes de la Europa contemporánea. Por otra parte, el nivel de vida sube paulatinamente y la censura empieza a permitir algunas libertades que hubieran sido inconcebibles en la década anterior.

Bajo tales circunstancias, los narradores de esta generación dieron desde un principio pruebas de una verdadera y profunda conciencia de su responsabilidad como novelistas. Escriben sobre la realidad patria y dirigen sus novelas al lector español regresando así al realismo tradicional de Galdós, Clarín y Baroja. Debemos notar que el enfoque de este nuevo realismo es de tono crítico y de carácter colectivo. El escritor busca sus temas en los problemas sociales de España y trata de presentarlos sin parcialismos ni intromisiones, exponiendo solamente —a través de las acciones de los personajes— lo que aspira a ser un testimonio objetivo de lo que ven. Así, la crítica a la injusticia o desigualdad social, en su carácter colectivo, queda implícita en la narración.

En la opinión de Eugenio de Nora, ni esta orientación realista-crítica de literatura comprometida, ni la obsesión por los problemas sociales, son ninguna novedad. La nueva promoción de escritores no hace sino reanudar una tradición viva, proyectándola con nuevos enfoques narrativos. [2]

Aunque no se puede negar la tradición realista de la literatura española, es innegable que esta tendencia languidece a manos de los noventaiochistas, exceptuando a Baroja, y a manos de novelistas posteriores. Así, pues, el realismo que encontramos en los escritores de la generación del medio siglo no llega a ellos vivo, como dice Nora, sino en estado latente. La tradición realista española de Galdós, Clarín y Baroja, junto a las influencias europeas y norteamericanas, fueron los factores que contribuyeron a la reivindicación del realismo en la narrativa de la generación del medio siglo. Aceptamos, y en esto tiene razón Nora, que la temática social de estas obras no es novedosa: lo nuevo radica en la forma de enfocar los problemas y en la actitud del novelista frente a los mismos.

Con respecto a estos dos factores, las influencias que recibieron los escritores de esta generación llegaron a ellos por diferentes caminos. Como ya hemos indicado, tratan de renovar la tendencia realista española; además, investigan los métodos narrativos de la novela francesa y norteamericana —en especial del llamado «behaviorismo»— buscando también la esencia del neorrealismo italiano, tanto del literario como del cinematográfico. La influencia que, junto a las ya mencionadas, pueda haber tenido el realismo socialista [3] y la novela rusa, ha sido poco estudiada y no todos los críticos coinciden en el mismo punto. Nora cree que esta influencia ha sido poco decisiva debido a la falta de información que los escritores españoles poseen sobre el realismo socialista. De aquí que el novelista español trate de suplir su ignorancia inventando una serie de postulados a los cuales refiere su compromiso político-literario. [4]

Nos parece difícil tratar de establecer una marcada y directa influencia del realismo socialista en los escritores de la generación del medio siglo. No obstante, los principios que rigen a estos novelistas no son inventados, sino que tienen un origen evidente en la tradición realista española, en las circunstancias trágicas por las que pasó España durante la guerra civil, en las dificultades sociales del momento, y en la postura del novelista frente al problema que se plantea. Esta postura se manifiesta en el deseo del escritor de explorar el pasado, no con la intención que guiaba a los noventaiochistas de encontrar los valores eternos del pueblo español, sino con el deseo de llegar a comprender mejor las circunstancias del presente y de poder exponer el testimonio de lo que ven.

Al examinar la posición ideológica de los jóvenes españoles y la manera de enfocar la realidad patria, encontramos algunas semejanzas entre el realismo socialista y el realismo crítico social de la generación del medio siglo. Estas semejanzas se manifiestan en la estrecha relación que ambas ideologías parecen encontrar entre el momento histórico y la realidad social. Dicha relación se presenta como una cadena de causas y efectos donde, según Lukacs, «la reacción anterior no es menos importante que la posterior. Sin conocer el pasado, no hay descubrimiento del presente.»[5] El mismo punto de vista es expresado por Caballero Bonald, miembro de la generación, al decir: «dando por supuesto que la literatura debe responder en todo a una razón histórica y dando también por supuesto que toda obra de arte ha de cumplir con una específica función social, me di cuenta que mi poesía tenía que adaptarse a las exigencias de esa función histórica y de esa función social... Tal necesidad política y literaria me llevó de la mano a intentar la novela, procedimiento de más inmediato alcance para los fines que me propongo.»[6] Si bien no podemos apreciar una influencia directa, «el realismo crítico español y el socialista ruso de la actualidad quedan muy próximos, su tono es parecido e idénticos sus propósitos... La constante demanda de mayor libertad de expresión, el deseo urgente de transformación de la realidad que manifiestan los escritores españoles, puede apreciarse también en los rusos».[7] El tono de protesta también es semejante en ambos, siendo el realismo crítico español una abierta denuncia a la sociedad española contemporánea que permite al novelista un testimonio de la realidad social en que vive.

Este testimonio a veces se convierte en un estudio casi científico, con hondas raíces sociológicas, y de marcada intención política, como podemos apreciar en *Central eléctrica*, de Jesús López Pacheco; *La mina*, de Armando López Salinas; y *La resaca*, de Juan Goytisolo. No obstante, estos novelistas no forman una mayoría dentro de la generación del medio siglo, ni tampoco muestran una tendencia representativa. Como bien ha expuesto Juan Carlos Curutchet, existe otra corriente de narradores que, manifestando también una marcada intención social y política, otorga mayor importancia a los aspectos narrativos relacionados con la creación artística. Estos novelistas parecen alcanzar un mayor equilibrio entre posiciones estéticas o ideológicas, ya que ambas no deben ser consideradas como posiciones excluyentes. [8] Dentro de esta tendencia encontramos novelas como *Duelo en el Paraíso* de Juan Goytisolo, *Los bravos* de Jesús Fernández Santos y otras obras importantes de la generación.

En cuanto al método narrativo los miembros de esta nueva promoción de escritores parecen coincidir, salvo raras excepciones, en las mismas tendencias. Ya nos hemos referido a la intención que expresan estos novelistas de testimoniar la realidad circundante buscando una representación objetiva de la vida. Si tuviésemos que precisar la característica más importante de este grupo no vacilaríamos en mecionar el afán de objetividad como la primera y más sobresaliente. La objetividad, llevada a extremos, es lo que se conoce con el nombre de «behaviorismo», influencia de los novelistas norteamericanos. Este tipo de narración objetiva ha sido definido como el proceso que tiene «solamente por real —en la vida psicológica de un hombre o animal— lo que podría percibir un observador puramente exterior; por eliminar lo que sólo puede ser conocido por el sujeto mismo por medio de un análisis interior; en fin, por reducir la realidad psicológica a una serie de conductas en las que la palabra y gritos tienen la misma importancia que los gestos y ademanes». [9]

Así pues, las narraciones objetivas parecen estar desprovistas de autor. Este no se inmiscuye en la anécdota ni ofrece sus puntos de vista sobre el desarrollo de la narración, ni sobre la psicología de los personajes. Lo interno queda reemplazado por lo externo, y toda situación, personajes o ambiente novelescos pueden ser presentados de esta forma. El narrador también trata de desaparecer ocultándose tras una especie de aparente objetividad, y su lugar parece ser ocupado por una cámara cinematográfica que proyecta en las páginas de la novela los ambientes que trata de describir. De esta forma, la técnica objetiva ofrece al lector la oportunidad de adivinar el proceso mental por el que pasa el personaje sin que el autor tenga que exponerlo directamente. De aquí que el diálogo sea parte esencial de toda narración objetiva. El novelista se inclina al diálogo escueto, con rápidos intercambios y mucha precisión en el significado de las palabras, buscando la concisión y la economía.

El afán de objetividad, veracidad y concisión narrativa que muestran los miembros de la generación del medio siglo son elementos relativos en toda obra literaria. Basta decir que dentro de la intención objetiva de un escritor cabe siempre un elemento personal y muy subjetivo que se manifesta de dos maneras: en la facultad que ejerce el novelista para seleccionar y reproducir solamente algunos aspectos de la realidad; y segundo, en un lirismo que tiñe de poesía las páginas de muchas narraciones. Esta vacilación entre lirismo y objetividad es evidente en casi todos los miembros de esta generación. Entre los más objetivos siempre encontramos poesía, y entre los más líricos siempre encontramos un tanto de objetividad.

La novela de posguerra alcanza una nueva dimensión con la publicación de *Tiempo de silencio,* de Luis Martín Santos en 1962. Con esta obra se produce un nuevo viraje en el método narrativo. El pretendido objetivismo de los años anteriores desaparece ahora para permitir la presencia menos engañosa del novelista. Los temas siguen siendo sociales pero la novedad radica en la experimentación lingüística y estructural. Nos encontramos ante novelas en las que existe un balance, o al menos se trata de lograrlo, entre el compromiso temático y el estético.

La mayoría de los integrantes de este nuevo grupo publicaron sus primeras obras bajo la influencia del realismo social de los años cincuenta. Alfonso Grosso comienza a apartarse de la línea objetiva en 1968 con la aparición de *Inez Just Coming* donde comienza con las exploraciones y experimentaciones técnicas que lo llevarán a la plenitud de su prosa posterior. Antonio Ferres cambia su método objetivista para sondear el subconsciente de los personajes y experimentar con el punto de vista en *En el segundo hemisferio* (1970) y en *Ocho, siete, seis* (1972). La experimentación lingüística y estructural de Juan Marsé comienza a evidenciarse en 1965 con *Ultimas tardes con Teresa,* pero no cobra verdadera importancia hasta 1970 con *La oscura historia de la prima Montse.*

Hay también otro grupo de novelas escritas por autores iniciados en el realismo social —o aún antes, como en el caso de Delibes—, donde la experimentación es elevada a un grado tal que el argumento novelesco parece como diluido en múltiples puntos de vista narrativos o se pierde en los laberintos del mito y de la alegoría. Estos autores se preocupan, más que nada, por el lenguaje y buscan librarse de influencias ajenas para buscar su propia expresión. En este grupo encontramos obras como *Parábola de un náufrago* (1969) de Miguel Delibes, *Seno* (1970) de Ramiro Pinilla; las novelas de Juan Benet desde *Volverás a Región* (1967) a *La otra casa de Mazón* (1973) y las tres últimas novelas de Juan Goytisolo.

De todos estos novelistas, Juan Goytisolo es indudablemente el mejor y más prolífico. En sus primeras obras podemos observar el conflicto interno que siente al tratar de poner freno a su innegable subjetividad y evidente temperamento lírico buscando presentar un tipo de narración que se acerque a las ideas objetivistas del realismo crítico. En otras novelas, como en *Duelo en el Paraíso,* trata de conciliar el conflicto entre objetividad y lirismo llegando a fundir ambas tendencias en la misma obra. En sus últimas tres narraciones, *Señas de identidad* (1966) y *Reinvindicación del Conde don Julián* (1970), y *Juan sin tierra* (1975), nos encontramos ante un Juan Goytisolo mucho más maduro y dueño de sí mismo. El conflicto entre objetividad y subjetividad de sus primeras novelas queda resuelto en un nuevo tipo de obra en la que impera el eclecticismo narrativo de un texto que admite múltiples interpretaciones y lecturas.

NOTAS

1. El término fue introducido por José María Castellet. Este crítico considera que los novelistas de este grupo nacieron entre 1922 y 1936, y comenzaron a publicar sus novelas a partir de 1950. Véase «La novela española quince años después (1942-1957)», *Cuadernos del Congreso por la Libertad de la Cultura*, núm. 33 (noviembre-diciembre, 1958), 48-52.

2. *La novela española contemporánea*, II (Madrid: Gredos, 1958), pág. 287.

3. Enrique Anderson Imbert dice que de acuerdo con la doctrina del realismo socialista, el escritor, «al reproducir fielmente la realidad, debe mantener la estructura social e indicar las líneas de fuerza del partido comunista. Para ello, la crítica marxista, por lo menos en la Rusia de los años anteriores a la segunda guerra mundial, insistía en la evaluación de los personajes como héroes morales». *Métodos de crítica literaria* (Madrid: Revista de Occidente, 1969), pág. 96.

4. Nora, pág. 288.

5. György Lukacs, «Realismo socialista de hoy», *Revista de Occidente*, núm. 37 (abril, 1966), 6.

6. Francisco Olmos García, «La novela y los novelistas españoles de hoy. Una encuesta», *Cuadernos Americanos*, CXXIX (julio-agosto, 1963), 213.

7. Pablo Gil-Casado, *La novela social española* (Barcelona: Seix Barral, 1968), pág. 7.

8. *Introducción a la novela española de postguerra* (Montevideo: Alfa, 1966), pág. 67.

9. José María Castellet, *La hora del lector* (Barcelona: Seix Barral, 1957), pág. 38.

CAPÍTULO I

GOYTISOLO: OBRAS E IDEOLOGIA

Juan Goytisolo nació en Barcelona el día cinco de enero de 1931. Su padre fue encarcelado durante la guerra, debido a cuestiones políticas, después de haberse retirado de su puesto de directivo en una fábrica de productos químicos. Su madre murió, todavía siendo él muy niño, a consecuencias de un ataque aéreo de las fuerzas franquistas. Como resultado de estos problemas familiares Goytisolo pasó parte de su niñez en una colonia para niños refugiados.

Después de la guerra civil Goytisolo cursó el bachillerato y comenzó la carrera de Derecho en Barcelona, donde formó tertulia con Ana María Matute, Lorenzo Gomis, Mario Lacruz y Juan Germán Schröeder. Los integrantes del grupo se reunían en el «Café Turia» y allí discutían problemas literarios y leían sus propias obras.[1] De Barcelona Goytisolo marchó a Madrid donde siguió su carrera universitaria pero, debido a sus ideas revolucionarias y anarquistas, fue expulsado de la Universidad. En 1957 se trasladó a Francia para trabajar como asesor de la Editorial Gallimard. Ha alcanzado fama mundial con sus últimas novelas y se ha dedicado de lleno a la literatura y a la crítica literaria.

Las desastrosas circunstancias por las que atravesó Goytisolo durante la guerra civil dejaron huellas imborrables en sus primeras obras. Al analizar las influencias de estas experiencias en su obra, Goytisolo ha dicho: «Cuando comencé a escribir yo tenía veinte años y escribía sobre lo que conocía mejor. Esto explica el carácter autobiográfico de mis primeras novelas. En realidad no conocía más que mi medio social, antes de escribir *La resaca*. El impacto de la guerra nos ha marcado a todos los escritores de mi promoción y estoy por decir que a todos los novelistas españoles de hoy. Los tres años de guerra civil se han grabado en mí de una manera imperecedera, mientras que los cuatro o cinco de la posguerra se han borrado de mis recuerdos».[2] La influencia de la guerra civil se deja ver hasta *Señas de identidad* (1966) y disminuye en sus dos últimas obras.

La inclinación literaria de Goytisolo había comenzado a manifestarse desde su infancia y a la edad de once años intentó escribir una novela sobre Juana de Arco. A pesar de que había participado en tertulias literarias y de haber escrito algunos cuentos durante sus años estudiantiles no llegó a revelarse como escritor hasta 1954, fecha en que publicó su primera novela, *Juegos de manos*. En *Duelo en El Paraíso* (1955), narra los escalofriantes efectos que la guerra civil produjo en un grupo de niños huérfanos, refugiados en una finca de Gerona. Con sus novelas *Fiestas* (1958), *El circo* (1957) y *La resaca* (1958), Goytisolo fustiga la sociedad contemporánea. En *Problemas de la novela*, publicada en 1959, Goytisolo reune varios artículos periodísticos en los cuales había discutido la posición de la novela española contemporánea. Las ideas expresadas en este libro resultan en extremo interesantes ya que en él Goytisolo presenta sus puntos de vista sobre lo que debe ser la verdadera novela objetiva.[3]

Campos de Níjar (1960), trata sobre un viaje por las tierras de Almería y presenta, con fuerte intención social, una imagen de la desolación de aquellas tierras. En la misma línea el autor ha publicado *La Chanca* (1962) que se desarrolla en el barrio almeriense del mismo nombre. Al explicar los motivos que lo impulsaron a dedicarse a este tipo de narración, Goytisolo dice: «Para mí se trataba de averiguar el género de relaciones que existen entre el hombre y su medio, tanto en el orden físico como en el social, el económico y hasta en el orden moral. Lo que descubrí en esos primeros viajes lo he contado en *Campos de Níjar*... Con *La Chanca*, mi segundo libro de viajes, he querido demostrar que el escritor-viajero que no conozca de antemano la vida económica, social e histórica de los lugares que visita no puede ver nada... Para mí... la literatura de viajes requiere una previa labor de investigación y debe ser una literatura-documento».[4]

Antes de la publicación de *La Chanca* apareció *Para vivir aquí* (1960). Esta obra es una colección de relatos desligados unos de otros y prácticamente carentes de argumentos. La acción en ellos se desarrolla con morosa lentitud haciendo resaltar la crudeza de algunos pasajes.

En *La isla* (1961), y en *Fin de fiesta* (1962), Goytisolo trata sobre la monotonía y la incomprensión matrimonial vistas desde distintos ángulos. *Señas de identidad* (1966) posee numerosos elementos autobiográficos y abre un nuevo período en la producción de Goytisolo que culmina en sus, por ahora, últimas novelas, *Reivindicación del Conde don Julián* (1970) y *Juan sin tierra* (1975). En estas obras el autor maneja admirablemente los conceptos de tiempo y espacio haciendo que el lector participe activamente en ordenar estos elementos.

El segundo libro en que Goytisolo expone su teoría literaria, *El furgón de cola* (1967), es una colección de artículos publicados en distintos diarios y revistas fuera de España.[5] En estos ensayos el autor analiza una serie de problemas culturales, sociales, políticos y literarios de la vida española. Más adelante nos ocuparemos exhaustivamente de esta colección de artículos.

En 1972 Goytisolo publica una antología de las obras de José María Blanco White titulada *Obra inglesa*.[6] En el prólogo que Goytisolo llama presentación crítica, el autor se deja conocer de nuevo como crítico literario. El paralelo entre Blanco White y Goytisolo es evidente. Ambos demuestran una aguda preocupación social y literaria, sufren la opresión ideológica, y se aventuran al exilio. En el prólogo, Goytisolo acusa a los historiadores de la literatura por no haber dado a Blanco White el lugar que éste merece en las letras hispánicas. Además, presenta el desarrollo político y religioso de Blanco, sus teorías literarias y lo compara con Cernuda, otra figura a la que no se le ha hecho justicia literaria. Finalmente, termina su presentación crítica con un comentario respecto al significado del vocablo patriotismo.

El examen que Goytisolo hace de la vida de Blanco White

viene a ser otro examen de conciencia más del propio Goytisolo. En su estudio literario de Blanco White, Goytisolo se vale de un método crítico que, si bien denota una amplia perspectiva cultural, refleja mucho de su propia subjetividad. En una reciente entrevista Goytisolo explica que este enfoque es de tipo humanista y dice: «me interesa más este tipo de aproximación cuando el crítico arrima el ascua a su sardina y hablándonos de otro escritor nos habla en realidad de sí mismo».[7] Según Goytisolo, la objetividad del crítico es un mito literario creado por aquéllos que quieren sentirse dioses de la literatura.

La evolución de la novelística de Juan Goytisolo ha sido estudiada por numerosos críticos. Generalmente, salvo menores diferencias de criterio, todos coinciden en dividir la obra anterior a *Señas de identidad* en tres períodos. Dentro del primer período encontramos dos novelas: *Juegos de manos* (1958) y *Duelo en El Paraíso* (1955). El segundo período está formado por la trilogía de *Fiestas* (1958), *El circo* (1957), y *La resaca* (1958). El tercer período consta de tres libros de viajes, *Campos de Níjar* (1960), *La Chanca* (1962) y *Pueblo en marcha* (1963); dos libros de relatos, *Para vivir aquí* (1960), *Fin de fiesta* (1962), y una novela, *La isla* (1961).

La primera etapa de la evolución novelística de Goytisolo se caracteriza por la experimentación y «por la búsqueda de su personalidad literaria».[8] En el segundo período el autor «se muestra... más dueño del instrumental técnico, ahora manejado con una mayor destreza».[9] Al mismo tiempo, se comienza a notar «la tendencia... a cargar la prosa de ribetes políticos-revolucionarios».[10] El tercer período, según Martínez Cachero, se caracteriza por un afán de objetividad en el que «la no intervención del novelista se persigue hasta el punto de que aparezca como narrador de la peripecia alguno de los personajes que a un tiempo la viven y la contemplan».[11] En este punto de vista nos parece encontrar una generalización un tanto peligrosa. Si bien es cierto que Goytisolo trata de ausentarse de las narraciones de esta época nunca llega a lograrlo por completo. Como bien expresa Buckley, «incluso en las novelas del realismo más objetivo, encontramos abundantes huellas de la personalidad del autor».[12]

A los tres períodos ya mencionados debemos añadir una etapa más que comienza en 1966 con la publicación de *Señas de identidad*. En esta novela Goytisolo utiliza las enormes posibilidades expresivas que le ofrece la experimentación con el lenguaje para producir una violenta sátira contra la España contemporánea. Carlos Fuentes ha resumido, con acierto, la intención crítica de Goytisolo cuando dice que el deseo de éste «es demostrar la falsedad y corrupción del tradicional lenguaje literario español y demostrar en qué medida las instituciones morales, económicas y políticas de España se fundan en la consagración de una retórica en la que los valores de la 'pureza y del 'casticismo' justifican una cultura cerrada y un sistema de dependencias y relaciones de sumisión».[13] En *Señas de identidad* Goytisolo rechaza los cánones literarios de lo que él llama «el buen decir»[14] tradicional para ofrecernos una experiencia lingüística altamente original.

La evolución ideológica de Goytisolo se pone de manifiesto al analizar y comparar sus dos colecciones de ensayos, *Problemas de la novela* y *El furgón de cola*. La primera de estas obras tiene un tema unificador: la posición del escritor con respecto a la novela y a la sociedad. Al ocuparse de la novela española, Goytisolo cree encontrar una polarización en la narrativa que él ha bautizado con el nombre de «las dos vertientes de la obra literaria».[15] En la opinión de Goytisolo, de un lado existen las obras al estilo unamuniano cuyo interés principal radica en el intelectualismo y en el análisis de personajes. Estas obras dejan a un lado los problemas sociales de la vida cotidiana para tratar de dar respuesta a las interrogaciones del hombre contemporáneo. Del otro lado, dice, hay un tipo de obra realista que busca temas y personajes en la realidad circundante. La psicología, el intelectualismo y el análisis de personajes son elementos totalmente ajenos a este tipo de narrativa.[16] Las novelas de Baroja son, según Goytisolo, un ejemplo típico de esta clase de obras donde los personajes no están sujetos a límites impuestos por el autor; esto es, caben en estas novelas todo tipo de personajes creando, de esta forma, un tipo de novela sobre el pueblo y para el pueblo que, al dar vida a infinidad de seres distintos, nos brinda un retablo novelesco mucho más amplio que el que puede ofrecer una obra dirigida a las minorías.

Para Goytisolo, Unamuno reúne todos los defectos del mal novelista: parcialidad, falta de inventiva, poca flexibilidad en el método narrativo y, sobre todo, pérdida del contacto con la realidad debido a su tendencia intelectualizante. Según Goytisolo este tipo de novela carece de valor y termina pereciendo porque: «Como el Anteo de la fábula que pierde su fuerza y vitalidad cuando sus pies no reposan en el suelo, la novela no puede perder su contacto con la realidad en nombre de una abstracción superior, so pena que convertirse a largo plazo en algo formal y muerto» (pág. 37).

El compromiso del escritor, según Goytisolo, es el de tomar partido frente a la realidad de su país. El novelista debe ser veraz y objetivo, y al discutir y enfrentarse a los problemas nacionales, debe evitar la novela de tipo intelectual que, dirigida a una minoría, deja de ser realista para convertirse en producto de un mundo limitado y egocéntrico. En la opinión de Goytisolo, para producir novelas verdaderamente realistas que, en lugar de mostrarnos una sociedad ilusoria y utópica, producto de la subjetividad del autor, nos presenten una imagen de la sociedad tal cual es, es necesario que el autor muestre el coraje suficiente para enfrentarse a los más crudos aspectos de la realidad: «Personalmente —dice Goytisolo—, creo que se requiere más valor para hablar de las cosas y hechos de la vida corriente, que para embriagarse en empresas sublimes y nobles. El coraje no consiste en cerrar los ojos ante nuestros defectos (pequeños o grandes, qué más da), sino en luchar contra ellos, reconociéndolos. La verdad debe revelarse siempre por dura que sea. Escamotearla no me parece empresa digna de escritores» (pág. 94).

El novelista contemporáneo no puede, en la opinión de Goytisolo, presentar el testimonio de la realidad empleando el método narrativo de la novela psicológica; esto es, utilizando el análisis introspectivo de los personajes. El nuevo realismo que él preconiza implica un interés por los aspectos externos del hombre y de sus circunstancias sociales. La personalidad de los protagonistas debe mostrarse solamente a través de acciones y diálogos sin que el autor tenga que inmiscuirse en la narración para presentar sus puntos de vista sobre los sentimientos y formas de pensar de los personajes.

Es por esto que el principal paso de avance que la novela contemporánea ha dado hacia una representación objetiva de los hechos, consiste, según Goytisolo, en la eliminación del método de análisis introspectivo. Goytisolo cree que la novela psicológica, pasada de moda en la actualidad, alcanzó sus momentos de más popularidad con los autores ingleses y franceses del siglo pasado para perecer a manos de dos de los novelistas más importantes de nuestro siglo: Proust y Joyce. El novelista contemporáneo, consciente de su arte, no puede aceptar la influencia de la psicología en la narrativa contemporánea: «Hoy, la palabra psicología es una de aquellas palabras que ningún autor consciente puede pronunciar sin enrojecer. Psicología, psicológico, se han convertido en dos vocablos sospechosos. Sin saber porqué empiezan a parecer antiguos, pasados, decimonónicos» (pág. 15).

Goytisolo cree que la novela psicológica había escogido como radio de acción un sector muy limitado de la sociedad: «la burguesía misma de la que era hija y de la que, por vicio de origen, le iba a resultar imposible separarse» (pág. 15). El análisis psicológico a que se entregaron algunos novelistas reducía los temas literarios a minorías selectas y los personajes sólo representaban una sección limitada de la sociedad debido al estrecho enfoque del método psicológico. Así, pues, la mayoría de los protagonistas de estas novelas se reducían a tipos que, debido a su intelectualismo y posición social, tuviesen «capacidad, tiempo y medios materiales de observarse» (pág. 16). Es por esto que, en la opinión de Goytisolo, la novela psicológica deja sin vida a un amplio sector de la sociedad como son las mujeres de la vida, obreros, empleados o pobres de espíritu para quienes «los delicados problemas anímicos no han existido nunca, han sido un lujo que no han podido pagarse» (pág. 16).

Como reacción a la novela psicológica, Goytisolo cree que la novela contemporánea debe reflejar la ampliación de miras del novelista rechazando el método psicológico o de análisis, buscando un nuevo método narrativo que, al acrecentar la objetividad de la obra, permita al novelista presentar una imagen más realista de la vida. Este nuevo método que permite extender el radio de acción de la novela e incorporar a sus páginas una infinidad de personajes que hasta entonces habían quedado fuera de ella, fue, dice Goytisolo, expuesto por Gide y aplicado más tarde por Dos Passos y otros novelistas norteamericanos. Los críticos franceses, utilizando el término introducido en la psicología por William James, le aplicaron el nombre de «behaviorismo», o método objetivo del comportamiento externo.

Al examinar la evolución de este método objetivo Goytisolo observa tres etapas. Durante la primera, el autor nos daba una definición del personaje «para indicarnos lo que debíamos pensar acerca de él, despojándonos, de este modo, de la posibilidad de ejercer nuestra libertad de juicio» (página 20). En la segunda etapa, el autor, después de darnos la definición del personaje, «le otorgaba la facultad de vivir —de representar su papel— dentro de los límites por él impuestos» (pág. 20). En la última etapa, el autor elimina toda intervención en la obra dejando que el personaje hable, actúe y se represente a sí mismo. De esta forma, el novelista, «en lugar de decirnos: 'Fulanito estaba nervioso' nos da una imagen de Fulanito encendiendo, apagando y encendiendo de nuevo un cigarrillo, mostrándonos su nerviosismo sin nombrarlo» (página 21).

Goytisolo siente una gran admiración por los autores que aplican a sus obras —con mayor o menor rigor— el método objetivo del comportamiento externo. Los personajes de *El Jarama, Los bravos* o *La colmena,* dice Goytisolo, nos dan una poderosa sensación de realidad «que no hubiera logrado el más sagaz o profundo análisis de sus conciencias» (pág. 21).

Goytisolo es de la opinión que el método objetivo se debe, por una parte, al deseo del novelista de presentar una visión más completa de la realidad rechazando las limitaciones de la psicología; por otra parte, también atribuye una gran influencia al arte cinematográfico debido a que «hemos adquirido la costumbre de VER CONTAR historias, en lugar de oírlas narrar a la manera de las novelas del siglo XIX» (pág. 21). Esta influencia del cine en la narrativa también se deja sentir en la ausencia del narrador haciendo que el novelista recurra más al diálogo que a la descripción para comunicar al lector las impresiones de los personajes.

Goytisolo mantiene que el defecto principal de muchos novelistas contemporáneos estriba en la arbitrariedad con que aplican el método objetivo. Unas veces emplean el diálogo para comunicarnos algún sentimiento del personaje, mientras que otras veces se inmiscuyen en la narración interpolando comentarios que reducen a los personajes a simples muñecos. El buen novelista, en la opinión de Goytisolo, debe mostrar constancia en la aplicación del método; «en ello consiste, justamente, otro de los méritos de novelas como *El Jarama, Los bravos* y *La colmena,* y contribuye a otorgarles su carácter de obras actuales, modernas» (pág. 25).

Las ideas que Goytisolo expone en su colección de ensayos dejan lugar a muchas dudas y, a veces, se presentan en forma contradictoria. Por una parte, Goytisolo preconiza el método objetivo como el mejor tipo de enfoque para lograr una total y completa presentación de la realidad. Por otra parte, también parece darse cuenta de los límites que la novela impone al novelista. La completa objetividad, la ausencia total del narrador y la presentación absoluta de la realidad son metas imposibles de lograr. El novelista intenta ausentarse de la narración tratando de borrar sus propias huellas y procurando una objetividad que no refleje su intención crítica, pero ese intento de ausentarse completamente de la narración es totalmente ficticio porque, empleando las mismas palabras de Goytisolo, «su ausencia es, naturalmente, un artificio y el escritor existe siempre detrás de la técnica» (pág. 34).

Lo que Goytisolo propone en sus ensayos es un nuevo enfoque objetivo en la narrativa. No obstante, a pesar de que preconiza reiteradamente la objetividad total del escritor, se da cuenta, como él mismo dice, que «el novelista ha adquirido también conciencia de sus límites. Por mucho que intente 'hacerse invisible tratando de borrar sus propias huellas' sabe que no por ello deja de manejar las riendas. De una vez para siempre ha comprendido que el realismo absoluto es imposible; que el punto de vista del autor, la intención, existe siempre. Tributario de la realidad pero no esclavo de ella, el novelista la afronta, la moldea y la corrige» (pág. 41).

La contradicción de los juicios de Goytisolo se manifiesta de nuevo cuando examina la obra novelística de «la vertiente unamuniana». Hemos visto que Goytisolo acepta que el método objetivo disfraza la intención y parcialidad del novelista; sin embargo, ese mismo intento de ocultar la parcialidad es el defecto mayor que él encuentra en las obras anteriores a la aparición del método objetivo. Al hablar de los novelistas de este grupo Goytisolo dice: «...lo que les reprocho es disfrazar esa parcialidad que está en la base de toda obra de arte, para tronar en lo alto de sus libros como dioses todopoderosos, cuyos juicios, amparados por la impersonalidad de la tercera persona gramatical, adquieren un valor absoluto e inmutable frente al que no cabe apelación. En otras palabras el ocultar la parcialidad de sus juicios y hacerlos pasar por imparciales» (pág. 39).

Vemos, pues, que el método objetivo que propone Goytisolo deja al novelista en una encrucijada frente a la que es muy difícil tomar partido. Si el novelista trata de ausentarse de la narración, en vistas de lograr una presentación más «objetiva» de la realidad, lo hace disfrazando la parcialidad e intención crítica de que están embebidas estas novelas. Por otra parte, Goytisolo vuelve a contradecirse con respecto a la presencia del novelista en la narración. Si al tratar sobre las obras de Unamuno vimos que atacaba a éste por hacerse sentir en sus novelas, al hablar de la intervención de Gide en *Les faux monneyeurs,* o de Thomas Mann en *El elegido,* acepta, generalizando, que la presencia del novelista en la obra es más plausible —desde el punto de vista del lector— que cualquier vano intento de ausencia total. No obstante, Goytisolo presenta un nuevo argumento a favor del método objetivo que debemos tomar en consideración. Si la intervención del novelista en la narración es, como él dice, menos engañosa para el lector que la ausencia de un Faulkner o un Dos Passos, esta intervención infringe una de las leyes fundamentales de la convención novelesca: «la fe del lector en la existencia del personaje que, difícilmente sale fortalecida de la prueba» (pág. 35). Basándonos en lo anteriormente expuesto podemos concluir que la diferencia principal entre el método objetivo y otros métodos narrativos más tradicionales radica en que éste ofrece al lector más oportunidades para participar en la narración sacando sus propias conclusiones con respecto a los personajes y a las situaciones en que los presenta el autor. Así, pues, Goytisolo se adhiere a las opiniones de Castellet sobre la importancia que va ganando el lector en la narrativa contemporánea: «el tiempo del método objetivo, como decía muy bien José María Castellet, es, asimismo el tiempo del lector» (pág. 41).

El relativismo, la subjetividad y la intención son factores que no pueden aislarse del método objetivo. Todo novelista que trate de presentar una visión objetiva y completa de la realidad se engaña a sí mismo. Si bien aceptamos que el método objetivo es más despersonalizado en lo que se refiere al enfoque narrativo, no podemos olvidar que detrás del método está el hombre, el escritor, ocultando sus parcialismos e intenciones tras una máscara de objetividad. Aquí es donde radica la paradoja que presenta Goytisolo. Si en sus primeros ensayos se manifiesta enérgicamente a favor de la objetividad y de la ausencia del autor en su obra, más tarde acepta la subjetividad y arbitrariedad implícitas en toda narración, a pesar del método que se emplee.

Esta aceptación de los elementos subjetivos del novelista en sus obras se manifiesta también en la idea de Goytisolo de que la verdadera novela debe presentar una síntesis entre poesía y realidad. La novela, según Goytisolo, no puede aspirar a la realidad total; en este caso, el papel del escritor es el de reproducir la mayor cantidad posible de elementos realistas, pero que aparezcan depurados, filtrados a través de su visión estética y subjetiva. Al hablar sobre esta síntesis en la novela contemporánea, Goytisolo dice que «la poesía se manifiesta de un modo demasiado tímido, como avergonzada del papel que desempeña. Existe... un divorcio entre la aspiración o la realidad total —que, como hemos visto es imposible de abarcar— y la visión depurativa de esa realidad que constituye la base de la obra novelesca» (pág. 42).

La falta de poesía y de intención social es el defecto principal que Goytisolo encuentra en las obras de Alain Robbe-Grillet. Frente a la obra de Robbe-Grillet —donde el autor trata de lograr una novela químicamente pura en la que la preocupación es más técnica que social o estética— Goytisolo contrapone la obra de Marguerite Duras en la que la autora logra combinar el método objetivo con su visión poética. Goytisolo dice a este respecto que «la lectura de las obras de Marguerite Duras... ilustra a mi modo ver, ejemplarmente, la ambición de la novela moderna de reflejar al propio tiempo la realidad y de sobrepasarla; de mantener su contacto con el suelo, como Anteo, y de aspirar, no obstante a la poesía» (pág. 69).

Los artículos que Goytisolo compiló en su libro recibieron bastante mal acogida entre los críticos literarios. Casi todos los investigadores que reseñaron *Problemas de la novela* coinciden en aceptar la falta de madurez y de profundidad que se destilan de estos ensayos. Mario Maurín ha dicho que «son ensayos breves, claros y débiles. Revelan una cultura mal asimilada, el temor de quedarse atrás de la crítica contemporánea, y un extraño confusionismo en todo lo que se refiere a un género en el cual, según parece, Goytisolo ha alcanzado cierto éxito».[17] Otro crítico ha tratado de señalar los errores que se pueden encontrar en *Problemas de la novela*. Después de mencionar algunos de ellos dice: «Si tanto se aboga por la objetividad en la novela, no será caso de abandonarla en la exposición de hechos correspondientes a la historia de la literatura. Sobre todo cuando tales hechos tienen una concreción estadística o cronológica. Porque es el caso que cuando Goytisolo entra en ese campo, su utilización de los hechos resulta curiosamente errónea».[18] El mismo Goytisolo, ya más maduro, parece aceptar este hecho, puesto que al hablar de la poca profundidad de la crítica literaria española dice que «en España la crítica no es el resultado de una experiencia literaria sino, en el mejor de los casos, de una acumulación de lecturas. Así, *La hora del lector,* de Castellet (el crítico ideológico más estimable o mis poco meditados articulillos recogidos en el volumen *Problemas de la novela* felizmente agotado hoy)».[19]

En su última colección de ensayos, *El furgón de cola,* Goytisolo se manifiesta casi como un iconoclasta atacando numerosos aspectos de la vida social y literaria española. Mantiene su opinión sobre el compromiso social del escritor y establece una correlación directa entre el momento histórico y la crítica social con que debe responder un novelista. Esta es la posición que Goytisolo admira en Larra porque en los numerosos ensayos de este escritor se nota que «la imagen del hombre es siempre concreta, situada dentro de una perspectiva histórica, ligada de modo orgánico e indisoluble al medio social en que se desenvuelve» (pág. 12). Según Goytisolo, en España, país donde existe y ha existido la censura durante muchos años, el escritor debe tomar la posición que, bajo otras circunstancias, le correspondería al periodista; esto es, testimoniar las injusticias sociales ya que «cuando no hay libertad política todo es política y el desdoblamiento entre escritor y ciudadano desaparece. En este caso la literatura acepta ser un arma política o deja de ser literatura y se convierte en un eco inauténtico de la literatura de otras sociedades situadas a diferentes niveles» (pág. 41).

Al hablar de la situación de otras sociedades respecto a la española, Goytisolo se refiere a la ausencia de represión gubernamental, al adelanto social y al derecho a la libre expresión que existe en otros países y falta en España. El compromiso político del escritor, según Goytisolo, está definido en función de las circunstancias históricas y sociales de un determinado momento. Sobre este punto, Goytisolo dice: «La coincidencia entre literatura y política se aniquila en el instante mismo en que dejan de actuar los factores que la provocan —opresión política, dogmatismo artístico, etc.— a menos que, como sucede frecuentemente, tanto en el Este como en el Oste, el escritor abandone la literatura y se entregue en cuerpo y alma al panegírico seudoliterario de la causa que abraza». (pág. 43).

De esto inferimos que Goytisolo no propone una polarización total del escritor hacia el compromiso social, salvo en casos en que esta actitud sea necesaria. No obstante, si el escritor se compromete políticamente no debe olvidar su compromiso artístico al supeditar su obra a una intención crítica determinada. El compromiso, según Goytisolo, debe existir tanto en la forma como en el fondo de la obra literaria. La intención crítica, la actitud de denuncia, debe ir paralela a la búsqueda de un nuevo lenguaje, de un nuevo estilo que permita al novelista mayor libertad de expresión.

Analizando la actitud de la generación del medio siglo, Goytisolo mantiene que este grupo de novelistas ha fallado en su compromiso de crítica a la injusticia social. Según Goytisolo el error principal proviene, por una parte, «de un respeto excesivo a la tradición literaria española y a su agarrotado lenguaje; de otra, de una generalizada confusión entre política y literatura, entre compromiso político y compromiso literario» (pág. 50). La génesis de esta confusión, según Goytisolo, se explica debido a la total sujeción de la obra literaria al compromiso político con el fin de poder lograr, en corto plazo, la enorme cantidad de cambios sociales necesarios al país. Al poner la intención política por encima de la estética los novelistas de la generación del medio siglo dejaban relegados los problemas de índole literaria. De esta forma, dice Goytisolo, los novelistas de esta generación supeditaban el arte a la política limitándose «a escribir obras en serie... a la rutina del realismo fotográfico» (pág. 52). Comparando estas opiniones con las anteriormente expuestas en *Problemas de la novela* se hace evidente que las ideas de Goytisolo han evolucionado respecto al método objetivo. Si antes proponía que la objetividad era la mejor respuesta del novelista a las limitaciones de la novela psicológica, ahora critica a los miembros de su generación por circunscribrirse a un sólo método narrativo que, como él dice, los lleva a un procedimiento rutinario sin permitirles explorar las posibilidades narrativas que podrían lograr por otros medios.

El compromiso literario que han olvidado los miembros de la generación debe manifestarse, en la opinión de Goytisolo, a través de un nuevo enfoque en la narrativa que permita al novelista mostrar una visión doble del hombre y del mundo, donde los aspectos dramáticos e irónicos de la vida queden contrapuestos en una medida que corresponde a las exigencias del arte novelesco. En esto, Goytisolo expresa su admiración por Larra quien supo exponer los aspectos negativos de la sociedad en un tono satírico e irónico. El verdadero novelista debe buscar un balance justo entre los aspectos dramáticos y los aspectos irónicos de la realidad. La falta de este balance ha sido uno de los defectos principales de los novelistas de la generación del medio siglo, porque, según Goytisolo, «si nos limitamos al punto de vista dramático mutilamos la realidad y la empobrecemos» (pág. 53).

El lenguaje de que se sirven los novelistas de la generación del medio siglo tampoco ofrece muchas oportunidades para la creación de una verdadera obra literaria. En la opinión de Goytisolo los escritores de su generación deben rechazar la tradición literaria española que limita las posibilidades del escritor para experimentar con nuevas combinaciones lingüísticas y diferentes enfoques narrativos. Es decir, Goytisolo proclama una revolución en el lenguaje literario que rechace las formas arcaicas de la narrativa española y que permita al novelista más libertad para experimentar con el idioma. Esta forma de experimentación narrativa ha sido lograda, dice Goytisolo, por los novelistas hispanoamericanos debido a que ellos están menos ligados que los españoles «por un culto esterilizador hacia las grandes creaciones del pasado» (pág. 56). En resumen, podemos decir que, en la opinión de Goytisolo, los novelistas españoles deben rechazar y destruir las formas narrativas tradicionales para, de esta forma, poder lanzarse a la aventura de la experimentación. La nueva actitud del novelista frente a la obra literaria la resume Goytisolo cuando dice que «en el vasto y sobrecargado almacén de antigüedades de nuestra lengua sólo podemos crear destruyendo: una destrucción que sea a la vez creación, una creación a la vez destructiva» (pág. 56).

Con respecto al compromiso político Goytisolo cree que el novelista español se parcializa y se deja llevar de su intención crítica idealizando en sus obras a la clase oprimida que trata de reivindicar. Enfocando el problema de esta manera, Goytisolo infiere que la culpa de la injusticia social cae tanto sobre el pueblo como sobre el régimen opresor porque, según él, «si bien no es cierto que todos los pueblos tienen el gobierno que merecen, tampoco lo es que un régimen político que gobierna ininterrumpidamente un país por espacio de veinticinco años sea producto de la casualidad» (pág. 168). Al analizar este comportamiento del pueblo Goytisolo encuentra su origen en la rigidez y falsedad de las fórmulas gubernamentales. Viviendo en esta atmósfera de falsedad el pueblo se contagia con la mentira y falta de autenticidad de las leyes sociales creando, en sus propias relaciones personales, una situación de falsedad e inautenticidad semejante a la del gobierno. Esta situación se traduce, dice Goytisolo, en que «el hábito de callar y mentir en público creado por la dictadura acaba por infiltrarse en la vida íntima de quienes lo soportan» (pág. 174). Goytisolo mantiene que el novelista, el poeta o el dramaturgo son los que deben combatir esta situación atacando el mal en su mismo centro: destruyendo todos los elementos arcaicos de la tradición y la cultura española que la sociedad contemporánea da por sentados, y creando, al mismo tiempo un nuevo lenguaje que permita al novelista más libertad de expresión. A este respecto Goytisolo dice: «La literatura de testimonio, tal y como se practica hoy en España, desatiende... las raíces del mal. La destrucción de los viejos mitos de la derecha tendría que partir de un análisis y denuncia de su lenguaje. Impugnando las palabras sagradas impugnaría simultáneamente los valores que se expresan en ellas. La tarea de minar los fundamentos de la metafísica española exige la crítica implacable de esa rancia prosa castellanista que es, a la vez, santuario y banco de los valores sublimes del Buen Decir» (pág. 183).

Otro de los problemas que Goytisolo expone con claridad en esta colección de artículos es el de la posición del crítico frente a la obra literaria. Goytisolo divide la crítica literaria en dos corrientes que, en su opinión, han quedado muy lejos de llegar a aquilatar el valor de la obra literaria en toda su plenitud. De una parte sitúa la crítica tradicional que examina la obra literaria con los métodos y limitaciones heredados del positivismo «sin interrogarse jamás ni poner en tela de juicio el por qué de la escritura» (pág. 86). Del otro lado sitúa la crítica ideológica «que se interesa tan sólo por la creación para justificar una serie de teorías ajenas a la especificidad de la obra literaria» (pág. 86). Goytisolo encuentra que dentro de la llamada crítica ideológica existen varios modos de interpretar la obra literaria; el marxista, inspirado en Lukacs; el psicoanalítico, representando por Bachelard; el estructuralista, como lo expone Leví-Strauss; y el existencialista, que parte de

Sartre. Cada uno de estos métodos de interpretación es, según Goytisolo, limitado y parcial porque, «en lugar de utilizar la variedad de instrumentos que les permitiría captar la unidad y complejidad de una obra en todas sus facetas y niveles, algunos críticos reducen su análisis a una sola faceta de la misma... En este caso el empleo unilateral de ciencias tales que la antropología, la sociología o el sicoanálisis por parte de las diferentes escuelas críticas, en vez de enriquecer nuestro instrumental de investigación, lo mutila y lo empobrece» (pág. 87). Es por esto, dice Goytisolo, que la crítica tradicional es más objetiva y menos parcial que la crítica ideológica porque en su acercamiento y apreciación de la literatura ha aceptado muchas influencias de las escuelas ideológicas logrando un resultado más completo en la valoración de la obra literaria.

En ningún momento acepta Goytisolo una interpretación parcial de la literatura y en este punto ataca la crítica marxista contemporánea. Ya hemos dicho que, según Goytisolo, la actitud del novelista es, a veces, como en el caso de la literatura comprometida, producto de cierta situación social que, en la concepción marxista, se le da el nombre de «estructura». De esta forma, cualquier expresión artística es considerada por los marxistas como superestructura, es decir, determinada por la situación social o por lo que ellos llaman estructura. Goytisolo acepta que esta relación existe dadas ciertas circunstancias sociales y políticas pero que no siempre es cierta porque, como él mismo dice, «¿cómo explicar, entonces, la supervivencia de la superestructura cuando la estructura desaparece?» (pág. 192). Es decir, Goytisolo acepta un valor intrínseco en la obra literaria ajeno a toda función social determinista. Para ilustrar su punto cita el caso de Góngora frente al de algunos poetas de fines del siglo xviii: Meléndez, Quintana, Lista y Cienfuegos. Los temas que trabajaron estos poetas —libertad, patriotismo, regeneración de España— fueron, en muchos casos, producto del momento histórico, y están muy cercanos a lo que pudiera interesar al español contemporáneo. No obstante, dice, hoy interesa más la poesía de Góngora que la lectura de las odas y epístolas de los poetas del siglo xviii. De esta forma Goytisolo nos muestra, como él dice,

28

que «en un caso, el arte que refleja la estructura desaparece antes que ésta; en el otro, la superestructura se mantiene cuando la estructura ha cambiado» (pág. 192).

Al comparar los ensayos aparecidos en *Problemas de la novela* con los de *El furgón de cola,* podemos apreciar una madurez progresiva en el criterio literario de Juan Goytisolo. Al mismo tiempo, también presenciamos una creciente actitud de marcada índole iconoclasta en sus ideas políticas y sociales, lo mismo que en su rechazo de algunos aspectos de la tradición literaria española.

Hemos visto que en sus primeros artículos Goytisolo pretendía una objetividad total en la obra literaria. Atacaba la novela intelectualista y psicológica, y proponía un realismo basado en la tradición española y enriquecido por corrientes narrativas extranjeras. Al mismo tiempo aceptaba la imposibilidad de lograr una objetividad completa y proponía una prosa poética en la que el autor pudiese volcar su visión estética y personal —y por lo tanto subjetiva— del mundo en que vive. También se pone de manifiesto en estos primeros artículos que Goytisolo mantiene una posición de escritor comprometido cuando trata de supeditar la novela a una función social; esto es, el novelista debe testimoniar, presentar y denunciar las injusticias y errores de la sociedad. Este parcialismo y limitación en la concepción de la obra literaria es superado en *El furgón de cola* cuando Goytisolo expresa que el compromiso político no es necesario excepto cuando la estructuración política y social de un país fuercen al novelista a comprometerse. En este caso el compromiso debe ser político y a la vez literario; es decir, el novelista debe buscar nuevos métodos narrativos distintos de la objetividad y tinte poético que Goytisolo proponía en *Problemas de la novela.* La reforma debe ser sintáctica, apuntando a una mayor libertad narrativa que permita al novelista utilizar todas las sutilezas del idioma. Si antes Goytisolo se manifestaba a favor del limitado enfoque objetivo, ahora se da cuenta de que el escritor no debe limitarse; también acepta que la subjetividad, en lo que respecta a los matices irónicos y satíricos de un escritor, es más válida y productiva que el limitado alcance de un intento objetivo.

En los artículos más recientes de Goytisolo, al igual que en varias entrevistas publicadas en revistas norteamericanas y europeas, se nota el gradual acercamiento del escritor a un tipo de crítica literaria mucho más madura, profundizada por amplias lecturas bien asimiladas. Desde principios de los años setenta Goytisolo ha estrechado sus lazos con la comunidad académica norteamericana y ha sido invitado a ofrecer cursillos, o de profesor visitante, en varias universidades. Este acercamiento le ha permitido ejercer como profesor universitario y ganar otra visión del mundo intelectual y académico. En sus más recientes escritos y ponencias Goytisolo se manifiesta enérgicamente contra los críticos que, escondidos tras una máscara de objetividad e intelectualismo, tratan la obra literaria de un autor como si fueran sabios cirujanos que «intervienen, operan, seccionan, acusan, perdonan, condenan».[20] Goytisolo se inclina, al igual que Octavio Paz de quien indudablemente ha recibido influencias, sobre todo en *Juan sin tierra*, por eliminar la vieja dicotomía entre el crítico y el autor, y crear una comunidad literaria de críticos-creadores o de creadores-críticos. El nuevo autor debe, pues, producir un texto que sea a la vez «crítica y creación, literatura y discurso sobre la literatura y, por consiguiente, capaces de encerrar en sí mismos la posibilidad de una lectura simultáneamente poética, crítica, narrativa.»[21] Si para el autor el lenguaje es el medio de creación, es precisamente en el estudio de este lenguaje donde radica la función del crítico. El escritor no puede escribir sin tener un cabal conocimiento de la lingüística y de la poética. En esto alaba a Cervantes quien, conocedor de los códigos literarios de su tiempo, se lanza a combinarlos y destruirlos para lograr así una verdadera obra narrativa que es a la vez crítica literaria y creación artística.

Con respecto al método crítico de análisis literario Goytisolo parece no haber modificado mucho el criterio que expresaba en *El furgón de cola*. No obstante, siguiendo de cerca un concepto sobre la naturaleza de la literatura y la forma de estudiarla parecido al de Northrop Frye, Goytisolo indica su preferencia por el método de los formalistas rusos por ser «el sistema que subraya más la especificidad de la obra literaria, la relación de las obras literarias con otras y el hecho de que cada obra cobra sentido en relación con las demás». [22]

NOTAS

1. Juan Emilio Aragonés, «Ultima promoción», *Ateneo*, núm. 79 (15 de marzo, 1955), 40.

2. Francisco Olmos García, «La novela y los novelistas españoles de hoy. Una encuesta», *Cuadernos Americanos*, CXXIX (julio-agosto, 1963), 230.

3. De *Problemas de la novela* nos ocuparemos más adelante. No obstante, cabe decir ahora que la mayoría de los puntos de vista expresados por el autor ya han sido tratados por varios críticos; en especial por Nathalie Sarraute de quien Goytisolo obtiene muchas ideas. Ver, Nathalie Sarraute, *L'Ere du soupcon; essais sur le roman* (París, 1956).

4. Olmos García, pág. 232.

5. La mayoría de estos ensayos han aparecido en *Cuadernos de Ruedo Ibérico*, pero también algunos han sido publicados en las revistas *Márgen* y *Número*.

6. (Buenos Aires: Formentor, 1972).

7. José Hernández, «Interview. Juan Goytisolo», *Modern Language Notes*, Vol. 91, núm. 2 (marzo, 1976), 338.

8. Ramón Buckley, *Problemas formales en la novela española contemporánea* (Barcelona: Península, 1968), pág. 148.

9. José María Martínez Cachero, «El novelista Juan Goytisolo», *Papeles de Son Armadans*, XXXII (febrero, 1964), pág. 148.

10. Buckley, pág. 149.

11. Martínez Cachero, pág. 156.

12. Buckley, pág. 149.

13. Carlos Fuentes, «Juan Goytisolo: la lengua común», págs. 78-84, en *La nueva novela hispanoamericana* (México: Joaquín Moniz, 1969), pág. 79.

14. Para una idea más precisa respecto a las opiniones de Goytisolo sobre la experimentación lingüístca, véase su artículo «Literatura y eutanasia» en *El furgón de cola* (París: Ruedo Ibérico, 1967), págs. 46-58.

15. Juan Goytisolo, *Problemas de la novela* (Barcelona, 1959), pág. 9. Todas las citas que reproduzco a continuación provienen de esta edición y sólo indicaré el número de la página al final del texto.

16. Este punto de vista es un tanto simplista y al expresarse de esta forma Goytisolo incurre en el grave peligro de la generalización. Es de notar que muchas de las novelas que Goytisolo clasificaría de «intelectuales» —como las de Pérez de Ayala y algunas de Azorín, por ejemplo, *La voluntad*— incluyen elementos de lo social. Por otra parte, en algunas novelas de Baroja —a quien Goytisolo cita como ejemplo de la vertiente contraria a la de Unamuno— existen elementos sociales al igual que intelectualismo, psicologismo y angustia ante las interrogativas del hombre contemporáneo. En *El árbol de la ciencia* encontramos ambas tendencias, la social y la intelectual, perfectamente combinadas. En los ensayos de *El furgón*, y en otros posteriores, Goytisolo confiesa su poca madurez literaria cuando así se expresaba.

17. Mario Maurín, «Juan Goytisolo: *Problemas de la nocela*», *Cuadernos*, XLI (1960), 110.

18. Ildefonso Manuel Gil, «Sobre el arte de escribir novelas», *Cuadernos Hispanoamericanos*, núm. 121 (enero, 1960), 44.

19. Juan Goytisolo, *El furgón de cola* (París: Ruedo Ibérico, 1967), pág. 96. Citaré de esta edición, indicando los números de las páginas entre paréntesis en el texto.

31

20. Juan Goytisolo, «Escritores, críticos y gendarmes», *The Analysis of Hispanic Texts: Current Trends in Methodology*, editado por Gary D. Keller y otros (New York: Bilingual Press, 1976), pág. 6.

21. *Ibid.*, pág. 13.

22. José Hernández, pág. 340.

CAPÍTULO II

PRIMER PERIODO:
JUEGOS DE MANOS Y *DUELO EN EL PARAISO*

La primera novela de Juan Goytisolo, *Juegos de manos,* fue escrita en 1952 y publicada en 1954, año en que obtuvo el tercer lugar entre las obras escogidas para el Premio Nadal. [1] La novela se desarrolla en Madrid, pocos años después de la guerra civil, y trata sobre unos jóvenes estudiantes que se revelan contra el ambiente burgués y permisivo en que se han desarrollado. Las enseñanzas inculcadas por sus padres les resultan vacías, huecas e inauténticas; por lo tanto, rechazan estos sistemas de valores para lanzarse en busca de su propia verdad. Es por esto que casi todos los personajes de la novela sufren de un problema de adaptación emocional o ambiental, y tratan, por medios violentos usualmente, de encontrar la identidad personal de que carecen. La novela no sólo expone los problemas de estos jóvenes sino que también ataca la falta de disciplina y autoridad de los padres. Como dice Kessel Schwartz, «the suspense, protest, dramatic intensity, and violence reveal insights about well-meaning, permissive and ineffective parents and disillusioned youngsters.» [2] Entre los antecedentes literarios de esta novela los críticos han citado al Gide de *Les faux monnayeurs* y al Cocteau de *Les enfants terribles.* [3]

El argumento es sencillo. Un grupo de jóvenes estudiantes, anarquistas y revolucionarios, deciden organizarse y forman un grupo unido por una aparente ideología política. Para demostrar que tienen una razón de ser deciden asesinar a un delegado político de segundo orden. Una vez que el plan es concebido por Agustín, el jefe del grupo, sólo queda determinar al miembro de la banda que llevará a cabo el asesinato. Se decide echarlo a suerte y, por medio de una trampa confabulada entre Páez y Uribe, le toca a David ser el asesino. Este se da cuenta que le han hecho trampas; aun así, acepta su cometido con el propósito de probar su hombría a la hermana de Páez, Gloria, de quien David está enamorado. Cuando llega el momento preciso del crimen, David, al verse frente a su supuesta víctima y al darse cuenta de la sinrazón de su intento, se siente imposibilitado de llevar a cabo el asesinato y se marcha dejando plantados a los otros miembros de la banda. Agustín se cree indirectamente culpable del fracaso del plan por haber sido él quien había aceptado a David como miembro del grupo y, a pesar de la antigua amistad que unía a ambos jóvenes, tiene que sentar ejemplo en el caso de David asesinándolo y entregándose más tarde a las autoridades.

El elemento que da unidad estructural a la novela es la banda. Todos los personajes están relacionados a través del grupo y de su jefe. Los episodios que componen la acción de la novela están ordenados en forma convergente. Desde el comienzo de la obra, como dice Castellet, «la acción se encamina —en fragmentaciones protagonizadas por los distintos personajes— hacia su culminación: el asesinato de David.»[4] Todos los elementos de la narración existen en función de ese momento, y la estructura convergente de la obra sirve perfectamente al propósito del autor: mostrar «el lógico fracaso de una empresa gratuita iniciada por un grupo de jóvenes sin sentimiento alguno de la responsabilidad política y social».[5] La intención del autor se hace evidente cuando analizamos las circunstancias en que se desenvuelven estos jóvenes y la falsedad e hipocresía de las razones que exponen para fraguar el asesinato del político y el de David.

Los personajes de *Juegos de manos*, aunque cronológicamente pasados de la adolescencia, muestran una falta de madurez psicológica y emocional poco característica de los jóvenes de esa edad. Todos son personajes «desorientados, caóticos en su mayoría, degradados, holgazanes y viciosos»,[6] atra pados en un doble conflicto: el deseo de evadirse de sí mismos y la ansiedad de llegar a encontrar la identidad personal de que carecen. Esta malsana forma de conducta se manifiesta claramente en una conversación entre David y Agustín:

—Sí. Hemos vivido muy aprisa; sin mirar nunca atrás. A veces me pregunto qué ha sido de nosotros —dijo David.
—Me da la impresión de que hemos muerto; de que ahora somos gente distinta.
—Es que nada nos liga al pasado —le interrumpió Agustín—. Ni siquiera al futuro. Vivimos al día.
—Muchas veces, al levantarme me he preguntado qué haré al día siguiente y no sé qué responder. Tengo la sensación de estar buscando una respuesta y, en realidad, ni siquiera conozco la pregunta. [7]

La búsqueda de sus propias identidades los lleva a rechazar la sociedad y los valores que ésta representa. No obstante, se dan cuenta de que su rebeldía es inauténtica e ineficaz, producto de la reacción psicológica de toda generación joven contra las normas establecidas por los padres. Uno de los personajes dice: «Todas las generaciones han hecho lo mismo. Los padres tratan de prevenir a los hijos: éstos no les hacen caso: se extravían. Juegan a vivir la vida y a la postre regresan al redil con los ojos anegados por el llanto. Un final de comedia rosa, ya se sabe. En el fondo ninguno de nosotros ha rehusado en serio» (pág. 62).

Vemos, pues, que estos jóvenes están conscientes de que su rebeldía es igual a la de otras generaciones pasadas. Por lo tanto, para rebelarse, tienen que cometer un acto irreparable que los distinga de los demás, «que les dé identidad y carácter», [8] y que los fuerce a afrontar las consecuencias de sus propias acciones. Agustín es el que define la alternativa del grupo: «Sólo un acto irrevocable y definitivo que nos comprometa para siempre puede garantizar que no jugamos. Un acto sin salida, sin escapatoria. Hasta el presente nos hemos contentado con hablar. Y es preciso que, después de ejecutar este acto podamos decir: ya está hecho; ahora no hay remedio» (pág. 62).

Cuando deciden asesinar a un oscuro político nos damos

35

cuenta que las circunstancias que los llevan al crimen no son políticas ni sociales, sino producto de una necesidad imperiosa e inútil de negar el ambiente permisivo y acomodado en que se desenvuelven. Así pues, no nos toma por sorpresa que David, frente a su presunta víctima, «vacile, tema, se angustie y, al final, acabe por abandonar su intento, lleno de una cobardía infantil, burguesa, muy propia de hijo de familia». [9]

El fracaso de David —y por ende, el de la banda— lo lleva a su propia muerte a manos de Agustín. El asesinato de David es aún más absurdo que el fallido atentado al político; no obstante, el castigar a un supuesto culpable, es la única salida que tienen estos jóvenes para eludir el enfrentarse a sus propios fracasos e ineptitudes. En esto consiste la derrota final porque la muerte de David, carente de sentido y de razón de ser, sirve para mostrar a la banda la ineficacia y futilidad de sus acciones.

La caracterización de los personajes se logra de varias maneras. Unas veces el autor nos presenta al personaje en forma individual contándonos sus experiencias y vivencias íntimas —relaciones personales, niñez, atmósfera familiar— para integrarlo a la narración una vez que su personalidad está formada. Otras veces el personaje se va desarrollando paulatinamente ante nuestros ojos, integrándose poco a poco a la narración hasta llegar un momento en que él mismo nos ofrece un examen introspectivo de su yo interno basándose en episodios de su vida pasada. En la caracterización de los personajes el autor se basa en el diálogo, haciendo que los tipos que presenta expresen sus propias ideas; en las acciones de los personajes; o haciendo que el narrador los describa física y moralmente.

El primer tipo que aparece delineado en la novela, Raúl Rivera, es presentado como un hombre fuerte, agresivo y seguro de su constitución física: «el defecto —o la virtud— de Rivera, era su prodigiosa fuerza física. Peleara contra quien peleara —inevitablemente—, ganaba» (pág. 12). Frente a su fortaleza física sobresale la falta de entereza moral para hacer frente a sus problemas por sí mismo. En un pasaje en que el narrador expone la vida de Raúl en Canarias y en Madrid encontramos el siguiente trozo que ilustra su personalidad: «La noche anterior, antes de ir al estudio de Mendoza, había cursado a su familia un telegrama angustiante: NADIE VIVE DEL AIRE. Firmado: VUESTRA DESGRACIA. Y ahora le parecía que el telegrama tampoco arreglaba nada. No tenía porvenir. No estudiaba. El auxiliar de Anatomía lo había suspendido en seis convocatorias» (pág. 28).

Entre Rivera y su compañero Uribe existe una relación de compensación. Uribe admira a Rivera por su enorme fuerza física y espera que éste lo proteja en las peleas que él mismo busca. Rivera, por el contrario, desprecia la debilidad física de Uribe pero lo admira enormemente por su capacidad intelectual y por su inclinación a la fantasía. Uribe es el más débil de todos los personajes. Su debilidad física y moral lo fuerza a buscar escape en el alcohol y en el gusto por los disfraces. Como consecuencia de su falta de madurez emocional, se encuentra incapacitado para afrontar la realidad de la vida y, en los pocos momentos en que está sobrio y trata de enfrentarse a sí mismo, le sobrecoge un pánico terrible y vuelve a buscar refugio en el alcohol.

Esto es lo que sucede cuando Uribe trata de avisar a David que Agustín viene a asesinarlo. Al llegar a casa de su amigo su buena disposición se va desmoronando por temor a las represalias que Agustín pueda tomar contra él. Víctima de su personalidad endeble, decide evadir su responsabilidad y huye para sumirse de nuevo en el alcohol. Así, pues, la personalidad de Uribe se manifiesta de dos maneras: a través de sus acciones, como en el caso anterior; y por medio del análisis que de él hace el narrador: «Muchas veces había disfrutado del encanto sutil de mixtificarse. Su amor a los disfraces participaba también de ese gusto por la huída. Cada paisaje le confería un personaje nuevo. Cada desconocido, una personalidad diferente. Aprovechaba los encuentros furtivos para deformarse. Ante seres que no conocía, era semejante a un libro en blanco: sobre sus páginas podía escribir lo que quisiera» (pág. 157).

Luis Páez es el más joven del grupo y, aunque no se menciona su edad, muchas veces el narrador se refiere a él como al «adolescente». El autor nos lo presenta como a un alcohólico a través de las conversaciones que sostienen sus padres pero nunca lo vemos embriagado, ni en el proceso de embriagarse, como ocurre casi siempre con Uribe. El aspecto más sobresaliente de Páez es su maldad, y podemos decir, sin reservas, que es el personaje más maquiavélico de la obra. El es el que se confabula con Uribe para jugarle la mala pasada a David; al mismo tiempo, fuerza a su hermana Gloria para que pretenda cierta inclinación hacia el joven con el propósito de lograr que más tarde éste acepte su misión de asesino. A Luis sólo lo guía un motivo: desprestigiar a David —a quien cree un cobarde— ante los ojos de la banda. Para lograr su propósito no repara en medios y miente, engaña y finge amistad a su víctima. La personalidad de Páez se manifiesta primordialmente a través de los comentarios que de él hace el narrador: «A Luis no le importaba mentir, si la mentira le rendía algún provecho. A menudo, mentía, sin preocuparse, por otra parte, de ocultarlo. Lo que cualquiera de sus familiares pensase de él, le tenía sin cuidado. Sabía pasarse perfectamente sin la aprobación de las opiniones ajenas» (pág. 53).

El personaje-víctima de la novela es David. Desde un principio se nos presenta como un joven limpio, estudioso, ordenado y muy distinto a los demás miembros de la banda. No obstante, su personalidad no adquiere un relieve pronunciado hasta después de haber aceptado su misión de asesino cuando, solo, en su cuarto, abre las páginas de su diario y lee algunos pasajes de su niñez triste y de la imposición que sus padres ejercieron sobre él impidiéndole desarrollar su propia personalidad. En la caracterización de David, como en casi todas las de la obra, Goytisolo recurre al análisis psicológico —que tanto ataca en *Problemas de la novela*— para presentar la personalidad del personaje. En el diario de David encontramos el siguiente pasaje: «Yo era un niño tibio e incoloro, de escasa vitalidad y de una salud enfermiza que constituía el tormento de mis padres. Nací en el seno de una familia distinguida y bien relacionada de la que soy el último vástago. Todo contribuía, por tanto, a hacer de mí un heredero no importa de qué, si de recuerdos, de nombre o de fortuna, y el hecho de que tuviese otros hermanos no disminuía en modo alguno mi responsabilidad» (pág. 176). Al unirse al grupo le guiaba la intención de probarse a sí mismo y de rebelarse contra las normas y exigencias de sus padres. Por otra parte, también sentía la necesidad de demostrar su valentía a Gloria, a su amigo Agustín, y de sentirse aceptado por el grupo en igualdad de condiciones. Su pesimismo, sumisión y falta de agresividad se van manifestando paulatinamente a través de la narración lo que hace que su final desgraciado no nos tome por sorpresa. En varias ocasiones David siente premoniciones sobre su muerte y siempre aparece Agustín relacionado a ésta de algún modo: «Hasta tengo sueños de estos. Algún peligro amenaza a Agustín y yo me interpongo y recibo la bala. Me dejo herir, matar, qué sé yo... Y, sin embargo, no sufro. Me entra algo así como una gran calma» (pág. 197).

La caracterización de Agustín sigue el mismo patrón que Goytisolo utiliza con los demás personajes. Su personalidad es presentada al lector a través de diálogos y pequeñas escenas. Es un hombre inteligente, seguro de sí mismo y con una gran inclinación a la pintura. El ambiente burgués en que se ha desenvuelto no se manifiesta completamente hasta que él, como todos los personajes principales de la novela,[10] recurre a un largo monólogo en el que expone sus experiencias de niño y de adolescente presentándonos, de este modo, un resumen del desarrollo de su personalidad.

Desde el punto de vista objetivo, la novela no llena muchos de los postulados objetivistas que Goytisolo plantea en *Problemas de la novela*. En primer lugar, la obra deja de abarcar una imagen completa de la sociedad limitándose a un mínimo sector de la juventud española: el de la clase estudiantil, rica y pudiente. Por otra parte, en lo concerniente al método narrativo, el autor recurre a la descripción psicológica de los personajes y al monólogo interior, procedimientos muy distantes del método objetivo.

En general, la novela peca por falta de verosimilitud debido a que Goytisolo no ha logrado caracterizar convincentemente a los tipos que presenta. Como bien expone Eugenio de Nora, «el autor no llega a solidarizarse con sus tipos... pero tampoco se distancia de ellos lo suficiente como para conquistar un punto de vista adecuado y fértil respecto al mundo que al mismo tiempo origina, nutre y asfixia a sus espectaculares, desesperados y lastimosos gamberros». [11] Los personajes de la novela ya aparecen formados cuando comienza la narración y no se observan cambios substanciales en la personalidad de ninguno de ellos. El autor trata de resolver este problema haciendo que los personajes cuenten parte de su vida pasada presentando, en forma esquemática, las circunstancias que cambiaron y moldearon sus personalidades. En esto, Goytisolo bordea peligrosamente el psicologismo que tanto critica puesto que sus personajes, en la mayoría de los casos, analizan sus problemas psicológicos, emocionales o de adaptación.

Junto a la deficiencia en el realismo y en la verosimilitud también encontramos la de un estilo poco trabajado. A este respecto, José María Castellet ha dicho que «el lenguaje empleado en *Juegos de manos* es vacilante y, sobre todo, envarado, poco espontáneo y eficaz». [12] Aún así, Goytisolo está lo suficientemente consciente de su estilo literario para volcar en la narración, aunque algo tímidamente, la carga de poesía que —según expresa en *Problemas de la novela*— es necesaria a toda obra narrativa.

El argumento de *Duelo en El Paraíso* [13] es muy sencillo y guarda grandes semejanzas con el de *Juegos de manos*. Abel Sorzano, un niño huérfano cuya madre fue asesinada en Barcelona durante la guerra civil, se marcha a una finca de Gerona, El Paraíso, donde es recogido por su tía doña Estanislaa, dueña del lugar. En El Paraíso, Abel se une a una banda integrada por niños de una escuela cercana, refugiados de la guerra, y establece una singular amistad con uno de los miembros del grupo, Pablo, quien más tarde lo traiciona. Doña Estanislaa está completamente enajenada y vive aferrada a la idea de que sus hijos —muertos ya hacía varios años— la vienen a visitar para hacerle compañía. La acción se desarrolla durante un sólo día del año 1938, en el momento preciso en que las fuerzas republicanas se retiraban del lugar para dejar paso a las avanzadas nacionales. La novela comienza cuando Martín Elósegui, un soldado desertor del ejército republicano, encuentra el cuerpo sin vida de Abel. El misterio de la muerte del niño no llega a resolverse hasta el final de la narración cuando llegamos a saber que Arquero, jefe del grupo de escolares, había asesinado a Abel por haberlo creído traidor a la banda.

La caracterización de los personajes de *Duelo en El Paraíso* representa un paso de avance hacie el objetivismo que busca Goytisolo, pero al mismo tiempo se reconcentra en esta obra una amplia dosis de lirismo poético y de evasión de la realidad ejemplificada en la locura de la tía. En esta novela el autor evita el análisis psicológico de los personajes y logra una representación bastante objetiva de los hechos. La personalidad de Abel se manifiesta a través de sus excursiones y aventuras con Pablo, y por medio de los diálogos que sostiene con su prima Agueda y con Filomena, la criada del Paraíso. Su forma de ser es muy semejante a la de David en *Juegos de manos*. Ambos son sumisos, introvertidos, poco agresivos, y tanto el uno como el otro sienten el deseo de pertenecer a un grupo que nunca llega a aceptarlos por completo.

Otra caracterización convincente es la de Martín Elósegui. Las angustias, emociones y sentimientos íntimos del soldado están expuestos a través del diálogo y de sus propias acciones. Cuando hay necesidad de describirlo físicamente, el autor utiliza el punto de vista de otro personaje haciendo que el narrador desaparezca de la narración: «Un muchacho alto, moreno, con cara de pocos amigos... Un chico de unos veinticinco años —dijo Fenosa—. Estudiante de leyes me parece». [14] Martín es un personaje importante en la novela puesto que en él se manifiesta la intención del autor de mostrar la inutilidad de las acciones bélicas, y las consecuencias que la guerra civil acarreó a la juventud española. Este punto de vista se expresa objetivamente en el diálogo que sostienen Martín y su novia:

—¿Y ahora? —preguntó ella—. ¿Qué piensas hacer ahora?...
—No tengo la menor idea, palabra. A mi edad resultaría difícil estudiar otra vez leyes...
—Pues algo habrás de hacer, Bichito —murmuró...
—Sí, ya lo sé —dijo—. Estoy como siempre, en pañales. Pronto cumpliré veintisiete años y no sé en qué demonios ocuparme. Como no me reenganche en el ejército... Tal vez llegara a sargento con los años (pág. 337).

El apartado lírico y poético en la caracterización objetiva de los personajes se cristaliza en la personalidad de doña Estanislaa. La tía de Abel se refugia en su locura como única alternativa para evadir la realidad. La historia de su viaje a Centroamérica, la infidelidad de su marido y la muerte de sus dos hijos, cuentan entre los momentos poéticos más vigorosos de toda la narración. En realidad, las peripecias que cuenta doña Estanislaa (en esta novela, a diferencia de *Juegos de manos,* es el único personaje que cuenta parte de su vida) no tienen ninguna relación con el ambiente general de la novela: guerra, violencia, asesinatos y pérdida del sentido de autoridad. No obstante, la presencia de este personaje en la novela se justifica por la calidad poética de su narración. Por otra parte, doña Estanislaa refleja uno de los temas predilectos de Goytisolo: la evasión de la realidad. Este deseo escapista se manifiesta a través de la locura y de la visión poética de la anciana:

> Lo decía mi rostro, con claridad, pero yo no quería aceptarlo. Deseaba evadirme e hice lo imposible para dejar de ser lo que era. Me imaginaba flor, abeja, árbol. Quería eludir el tiempo y lo conseguí a fuerza de olvidarme. Vivía en el ático, rodeada de palomas, prisionera en una gigantesca jaula. Sostenía con ellas largas conversaciones, salpicadas de besos y caricias, de las que sólo conservo un recuerdo fragmentario: aleteos, murmullos fugaces que resuenan de noche en mis oídos como un eco, como un viento lejano. Era paloma ya. A veces sentía dolor en las alas. Comía con el pico. Notaba la caída de una pluma (pág. 340).

El subjetivismo poético que se desprende de éste y de otros pasajes de la novela se manifiesta en forma incongruente respecto al intento objetivo que preconiza Goytisolo. Al referirse a este punto Cirre ha dicho que «en ciertas ocasiones Goytisolo deja a un lado toda pretensión objetiva y permite a la fantasía adueñarse del campo. Doña Estanislaa... y otros personajes e incidentes, representan arrebatos líricos de buena ley. Lirismo carente de retórica y altamente poético, pero no necesariamente utilizable para la consecución de la objetividad novelesca».[15]

La estructura de *Duelo en El Paraíso* es totalmente diferente a la de *Juegos de manos.* Si en la primera novela encontramos una convergencia en los elementos de la narración y una marcha directa hacia el punto culminante, en la segunda observamos un método narrativo divergente. El punto culminante de la obra está en las primeras páginas y «desde allí el autor nos da con la técnica cinematográfica del 'flashback' los acontecimientos que conducen al desenlace».[16] El narrador, salvo en el caso de doña Estanislaa, es el que cuenta los episodios anteriores a la muerte de Abel pero siempre relaciona la aparición de algún personaje con lo que se cuenta haciendo que a veces parezca al lector que es el personaje y no el narrador el que relata la peripecia. De esta forma, cuando aparece el mendigo «Gallego» el narrador nos expone la relación de éste con Abel. Lo mismo sucede con Martín, Filomena y Agueda.

Eugenio de Nora ha propuesto el término «realismo poético»[17] para referirse a la fusión que pretende Goytisolo entre poesía y realidad. Este intento estético de crear una prosa poética comienza a manifestarse en *Juegos de manos*: «Las hojas de los castaños, membranosas como las alas de una libélula, se recortaban sin relieve, en un cielo caprichoso. Más arriba, invisibles casi, los pájaros trazaban en el aire pequeñas 'uves' negras» (pág. 82). En *Duelo en El Paraíso* se nota una inclinación mayor hacia la línea del realismo poético que caracteriza todo el primer período de la producción novelística de Goytisolo. A veces, la realidad del momento (la desolación y la guerra) se mezcla con la poesía para darnos una visión de un mundo quieto y tranquilo, que se sobrepone a los horrores del momento. La visión estética del paisaje forma un agudo contraste con la realidad de las circunstancias: «Una atmósfera quieta, mágica, parecía suspender milagrosamente todo el valle por encima de la desolación y de la guerra. El sol bañaba el jardín en que estaban aparcados los automóviles, la yedra que cubría la fachada y la pila de la fuente. En el horizonte se elevaban unas nubecillas quietas y algodonosas, como barbas de azúcar hilado» (pág. 39).

Otras veces, los elementos poéticos de la narración parecen desbordarse de los límites de la realidad, mostrándonos, de esta forma, una imagen casi mágica del ambiente: «Martín se detuvo a pesar suyo, fascinado por el ademán de desamparo de los viejos alcornoques. Despojados del corcho, retorcidos, elevaban sus ramas a lo alto y parecían clamar contra aquel crimen. Le asaltó la impresión de hallarse en medio de un bosque encantado y tuvo que frotarse los ojos. Era como si las cosas se hubieran puesto a vivir por sí solas: el sol tamizaba la superficie del bosque de dardos dorados» (pág. 20).

A pesar del magnífico logro que Goytisolo alcanza al fundir poesía y realidad en *Duelo en El Paraíso,* parece que el autor se aparta de esta línea de realismo poético en novelas posteriores. En *Fiestas,* publicada en 1958, aún pueden encontrarse algunos pasajes poéticos pero éstos sólo son residuos del profundo lirismo que palpita en *Duelo en El Paraíso.* En fin, si bien es cierto que en su segunda novela Goytisolo trata de ser más objetivo, también es cierto que vuelca en esta novela un fino lirismo y una profunda subjetividad poética con la que depura la realidad circundante.

Tanto en *Duelo en El Paraíso* como *Juegos de manos* encontramos una estrecha relación narrativa y anecdótica que se manifiesta en la reiteración de situaciones y personajes. Los protagonistas de estas dos novelas, David y Abel, poseen una personalidad introvertida, sumisa y poco agresiva. La reacción de ambos individuos hacia sus presuntos asesinos es muy semejante, y casi podría decirse que Abel actúa como lo hubiese hecho un David niño. Los dos saben que van a ser asesinados y, sin embargo, no tienen la fuerza necesaria para huir ni para rebelarse. Abel, al igual que David, camina hacia su propia muerte con la sumisión que lo caracteriza.

En ambas novelas existe un grupo de rebeldes organizado en forma de banda. Tanto David como Abel sienten bastante afinidad al grupo para tratar de unírsele; al mismo tiempo, son lo suficientemente distintos para que el grupo los rechace.

En *Juegos de manos* y en *Duelo en El Paraíso* las circunstancias de la guerra civil se manifiestan patéticamente en la falta de adaptación de los personajes. Esta falta de adaptación los fuerza a rechazar todo tipo de autoridad, e inclusive los lleva hasta el crimen como medio de encontrar un sistema de valores que sustente su razón de ser. En las dos novelas el asesinado es un miembro de la banda, y el asesinato es cometido por el jefe del grupo usando el móvil de traición. Este último tema, la traición, vuelve a aparecer en las dos novelas en circunstancias casi idénticas: Pablo, al igual que en el caso de Páez y David, se hace pasar por amigo de Abel para traicionarlo y engañarlo aprovechándose de su ingenuidad.

Por último, encontramos que en ambas novelas reina un ambiente de violencia y «de crueldad gratuita».[18] En *Juegos de manos* se describe «un mundo de fuerza y de crueldad, en el que la astucia era un recurso y la mentira un arma de combate» (pág. 67). Un ambiente similar, aunque más violento y más patético, es el que se presenta en *Duelo en El Paraíso*: «Vivían en una época de violencias y de guerras y el que no era verdugo corría el fácil riesgo de ser sacrificado» (pág. 282).

Tanto en una como en la otra novela el ambiente está ligado geográficamente. La acción de *Juegos de manos* ocurre en Madrid y la de *Duelo en El Paraíso* se desarrolla en una finca de Gerona. No obstante, es posible evadirse de estos límites por medio del recuerdo lo que implica un salto no sólo espacial, sino también temporal. Casi todos los personajes de *Juegos de manos* recuerdan momentos de su niñez en otros lugares, y algunos llegan hasta salirse del ámbito peninsular. Con Rivera llegamos hasta Canarias, y los recuerdos de Mendoza nos llevan a París. Lo mismo sucede en *Duelo en El Paraíso* cuando doña Estanislaa rememora su viaje por Centroamérica y Abel recuerda el tiempo que vivió en Barcelona en casa de sus tíos.

Además de las características comunes a ambas novelas también notamos que durante este período Goytisolo, en su afán de experimentación, llega a supeditar el tema al método narrativo. En uno de sus artículos en *Problemas de la novela* Goytisolo expresaba que «si la técnica va ajustada al tema, deja de ser un procedimiento para convertirse en una visión inédita del hombre y del mundo».[19] No obstante, esta limitación en el enfoque narrativo, característica de *Juegos de manos* y de *Duelo en El Paraíso* es sobrepasada en novelas posteriores. A este respecto el mismo Goytisolo ha dicho: «A menudo, en lo pasado, intentaba amoldar la materia del relato a una determinada forma o estilo de narrar (monólogo interior, enfoque cinematográfico, etc.). De ello resulta la deformación intelectual que se percibe en todas mis novelas anteriores a *La resaca;* buscando una originalidad formal sacrificaba la autenticidad de las situaciones y los personajes. Ahora creo que el tema determina necesariamente la técnica».[20]

La preocupación por el método narrativo se advierte tanto en la primera como en la segunda novela de Goytisolo. El autor gusta «de jugar en ellas con el tiempo (en compañía, a veces, del espacio) superponiendo los planos respectivos, hace uso del monólogo interior, de la descripción y de la narración, de la letra cursiva que sirve para destacar y diferenciar, etcétera».[21]

Queda claro que el método narrativo que emplea Goytisolo durante su primer período se aleja bastante del objetivismo behaviorista que propone en *Problema de la novela*. No obstante, en *Duelo en El Paraíso* se percibe una mayor inclinación hacia la objetividad; aún así, este intento de objetividad fracasa al enfrentarse con la imaginación poética y con el subjetivismo lírico que Goytisolo vuelca en esta obra.

NOTAS

1. Jean-Paul Weber, «Juan Goytisolo: Jeux de mains», *La Nouvelle Revue Francaise*, VII, núm. 78 (1959), 1103-1104.

2. «The Novels of Juan Goytisolo», *Hispania*, XLVII (1964), 302.

3. José Luis Cano, «Tres novelas», *Insula*, X (marzo, 1955), 7.

4. José María Castellet, «Juan Goytisolo y la novela española actual», *La torre*, IX (enero-marzo, 1961), 137.

5. *Ibid.*, pág. 137.

6. Eugenio G. de Nora, *La novela española contemporánea*, II (Madrid: Gredos, 1962), pág. 320.

7. Juan Goytisolo, *Juegos de manos* (Barcelona: Destino, 1954). Citaré de esta edición, indicando los números de las páginas entre paréntesis en el texto.

8. Pablo Gil-Casado, *La novela social española* (Barcelona: Seix Barral, 1968), pág. 23.

9. Castellet, pág. 134.

10. Todos los personajes de la novela —con la excepción de Raúl Rivera— utilizan el método de análisis introspectivo y cuentan, usualmente en una larga escena dialogada, parte de sus vidas pasadas. De esta forma nos dan a conocer las experiencias y vivencias que ayudaron a moldear sus personalidades, gustos y deseos. En el caso de Rivera la narración es en tercera persona, aunque a veces el autor combina este tipo de enfoque con el monólogo interior. También recurre al cambio de los tiempos verbales haciendo que el lector, a pesar de saber que se narra un hecho pasado, se sienta como si presenciase la escena: «El abuelo leía el periódico en el sillón y su hermana hojeaba antiguas fotografías. *Han cambiado. La ciudad, el ambiente, la familia, me son desconocidos. No puedo volver a esa casa: no es la mía*», (pág. 30).

11. Nora, pág. 321.

12. Castellet, pág. 135.

13. Esta novela, publicada en 1955, ganó el Premio Indice y también ocupó el tercer lugar en el concurso de la editorial Planeta.

14. Juan Goytisolo, *Duelo en El Paraíso* (Barcelona: Planeta, 1955), 319. Citaré de esta edición indicando el número de las páginas al final del texto.

15. José Francisco Cirre, «Novela e ideología en Juan Goytisolo», *Insula*, XXI (enero, 1966), 1.

16. Fernando Díaz-Plaja, «Náufragos en dos islas. Un paralelo narrativo: Goytisolo y Golding», *Insula*, XX, núm. 227 (1965), 6.

17. Nora, pág. 321.

18. José María Martínez Cachero, «El novelista Juan Goytisolo», *Papeles de Son Armadans*, XXXII (febrero, 1964), 141.

19. Juan Goytisolo, *Problemas de la novela* (Barcelona: Seix Barral, 1959), 33.

20. Martínez Cachero, pág. 128.

21. *Ibid.*, pág. 139.

CAPÍTULO III

LA TRILOGIA DE «EL MAÑANA EFIMERO»

Con la publicación de *Fiestas* (1958), *El circo* (1957) y *La resaca* (1958), Goytisolo comienza un nuevo período en su producción novelística. Estas tres novelas han sido consideradas por los críticos como partes de una trilogía a la que han bautizado con el nombre de un poema de Antonio Machado, «El mañana efímero». Al principio de cada novela Goytisolo reproduce algunos versos de las partes primera, central y final del poema de Machado haciendo que el sentido de los versos correspondan, en forma general, con el ambiente que presenta en cada una de las tres narraciones.

La primera novela de la trilogía, *Fiestas*,[1] fue escrita entre los meses de junio y diciembre de 1955, pero no fue publicada hasta 1958 por la editorial Emecé de Buenos Aires.[2] A raíz de su publicación, la obra fue prohibida en España debido a la fuerte crítica que de ella se desprende contra algunos aspectos sociales y religiosos.

La novela se desarrolla en Barcelona durante los preparativos para el Congreso Eucarístico de 1952. Dentro de ese marco realista la acción de la obra queda «perfectamente fijada en el tiempo y en el espacio».[3] Al principio de la novela, subrayando el sentido crítico de la misma, aparecen otros versos de «El mañana efímero»:

> *Esa España inferior que ora y embiste,*
> *cuando se digna usar de la cabeza,*

> *aún tendrá luengo parto de varones*
> *amantes de sagradas tradiciones*
> *y de sagradas formas y maneras.* [4]

La crítica de la novela va dirigida contra las limitaciones de esa religiosidad superficial a que se acogen los asistentes del Congreso. En forma más general, la obra ataca la falta de fundamento religioso del pueblo español que «rutinariamente, sin fe ni caridad efectivas», [5] se lanza al culto religioso dejando desatendidos el gran número de problemas sociales que plaga la nación. En la novela los pobres sufren, pierden sus casa y, a veces, mueren, mientras los segmentos más afortunados de la sociedad se preparan para las grandes fiestas.

El argumento de la novela gira alrededor de cuatro personajes principales: Pipo, su amigo el Gorila, el profesor Ortega, y la niña Pira. Pipo es un niño de doce años, imaginativo y huérfano, que lleva una vida solitaria en casa de su abuela. Allí se encuentra rodeado de personas mayores que viven en un mundo completamente distinto al suyo. Su amistad con el Gorila y las excursiones de ambos, usualmente nocturnas, le hacen conocer un nuevo ambiente lleno de prostitutas, borrachos y mendigos. El niño llega a identificarse totalmente con el Gorila, y comienza a robar dinero a su abuela para financiar las excursiones con su héroe. La amistad de Pipo con el marinero canario es lo que da cuerpo a la novela, hasta que al final de la narración, el niño, sin querer, causa el arresto de su amigo y llega a tener que conformarse con las normas de la sociedad afrontando la realidad de la vida.

El Gorila es uno de los personajes de más colorido en la novela. Es un gigante en fuerza y talla para quien el límite entre lo real y lo imaginario es un mundo completo en el que él se desenvuelve. Sus historias están llenas de contradicciones y nunca se sabe si está mintiendo o diciendo la verdad. Lo único que llega a saberse con certeza es que el Gorila huye de la justicia a consecuencia de un asesinato cometido en Canarias años atrás. Este es el gran secreto que existe entre Pipo y el marinero; además, es el elemento que motiva el desenlace de la narración ya que el niño después de tomar unas cervezas con el policía González, cuenta a éste el gran secreto causando el arresto de su amigo.

Varios aspectos de la obra nos hacen pensar que Pipo, y no el Gorila, como dice Schwartz,[6] es el protagonista de la novela. El niño, a consecuencias de su acción, pierde la visión infantil e inocente que tiene del mundo y, después de una crisis emocional, acepta la realidad de los hechos dejando atrás su mundo fantástico poblado de héroes. Pipo es el único personaje de la novela en el que se observan cambios substanciales en el desarrollo de su personalidad. No sólo asistimos al proceso en que el niño alcanza una mayor madurez emocional, sino que también presenciamos el momento en que inicia sus primeros contactos sexuales con una prostituta en el oscuro rellano de una escalera.

Los cambios psicológicos y emocionales que se operan en Pipo al final de la obra son los elementos más importantes de la narración. Al hablar del desenlace de la novela Martínez Adell ha dicho que «la travesía nocturna del niño angustiado por la ciudad en fiestas... tiene el sentido simbólico de una epifanía de la realidad de una edad nueva, del paso doloroso de la niñez a la adolescencia y de ésta a una edad, la adulta, en que la indiferencia y la hipocresía pueden encontrar justificación para cualquier acción innoble».[7] El proceso de madurez por el que pasa Pipo se hace evidente en uno de los pasajes finales de la novela: «Cuando se dio cuenta corría por el sendero, hacia su casa. Era el hijo pródigo: el niño perdido y hombre recobrado» (pág. 219).

En realidad, la gran tragedia de Pipo no es la pérdida de su inocencia infantil, sino el hecho de terminar aceptando las normas sociales y de convertirse en un amante de las «sagradas tradiciones», como dice Machado en su poema, del pueblo español. La nueva actitud del niño se advierte claramente en el último diálogo que sostiene con el profesor Ortega:

> Al descubrir al niño, vestido con el traje de los domingos y adornado con la escarapela del Congreso, la expresión de su rostro mudó y sus ojos azules se nublaron.
> —¿Tú también, Pipo? —dijo.
> El niño inclinó vergonzosamente la cabeza, sin atreverse a sostener su mirada.

—Es un día de fiesta, profesor.

Ortega lo miró tristemente por encima de los lentes. En medio de tanta gente endomingada, su rostro parecía aún más viejo, su traje más raído.

—Las fiestas de unos son las fiestas de todos —observó con voz amarga (pág. 222).

El profesor Ortega es un hombre idealista, humano, de ideas republicanas que, por no querer marchar con los estudiantes en honor a las festividades religiosas, pierde su puesto en el Instituto de la ciudad. A pesar de la falta de interés por parte de las autoridades, el profesor trata de implantar un nuevo plan de estudio para los pobres. Su idea fracasa debido a la poca cooperación que le presta el pueblo. Ortega es el personaje de más entereza en la novela, y su presencia en ella sirve para ilustrar uno de los propósitos del autor: mostrar el choque entre idealismo y materialismo.

Pira, el personaje más poético de la narración, es una niña de diez años de edad, que sueña con encontrar a su padre quien la había abandonado años atrás. La niña, en su búsqueda de cariño y comprensión, trata de escapar del mundo real creando una historia ficticia alrededor de la figura de su padre. En su mundo de ensueño y fantasía Pira llega a creer que su progenitor vive en un castillo italiano y comienza a ahorrar dinero para marcharse a Italia y reunirse con él. Durante las fiestas, la niña se encuentra con un mendigo francés, que en realidad es un desquiciado mental, quien la engaña prometiéndole llevarla a Italia y la asesina a la orilla de una playa. El contraste entre el mundo fantástico de la niña y su trágico final «hace que su historia se despegue un poco de la acción general y venga a formar un apartado de alto valor poético, lleno a la vez de ironía y ternura». [8]

El aspecto irónico de la historia de Pira resulta evidente si miramos de cerca el simbolismo con que el autor ha investido la figura de la niña. En medio del ambiente religioso del momento en que se desarrolla el argumento de la obra, Pira cree firmemente que su padre vive en Roma, en un enorme castillo. Antes de marcharse a Italia en busca de su padre la niña deja una nota en la que se traduce su confusión entre la realidad y la fantasía: «'Me voy a Italia a ver al Papa', de-

cía su letra inconfundible. 'No intentéis seguirme. Abrazos'»
(pág. 185). La fusión de las figuras del padre y del Papa en
una sola sirve al propósito crítico e irónico del autor. Así, el
aspecto casi alegórico de esta historia, como bien expone Margaret Sayers Peden, «may only be read as an indictment of
the Church, since Pira's determination to go to Rome leads
to her destruction at the hands of a mentally unbalanced
beggar». [9]

Entre los personajes secundarios de la obra encontramos
un buen número de tipos que sirven para enriquecer la visión
que el autor nos ofrece de la sociedad. Doña Francisca es una
mujer de un temperamento extraordinariamente fuerte y do-
minante. Su esposo, Enrique, es para ella un ser dócil y sin
voluntad. Otro de los personajes, doña Cecilia, vive aferrada
al pasado. Su tragedia es el complejo de culpa que siente por
no haber cuidado de Arturo, el hijo inválido, que sólo se sus-
tenta del rencor y la amargura que le produce su parálisis.
Francisco, el esposo de doña Cecilia, es un hombre simple,
de ideas conservadoras, cuya única preocupación es el huer-
to de la casa. El delegado del alcalde, don Melchor, representa la autoridad política del barrio y, al final de la novela es
el que gana la rifa patrocinada por la Compañía de Chocolates El Gato. La ironía de este hecho, y la crítica que del mismo se infiere, se hace evidente en un diálogo entre Norte y el
Gorila cuando discuten el resultado del concurso:

—Como si no tuviera ya suficiente dinero en los bolsillos
—dijo Norte—, encima le toca un automóvil.
—Bah. Ya se sabe —comentó filosóficamente el Gorila.
En este país... (pág. 157).

El amplio retablo de *Fiestas* presenta otros tipos y personajes: Benjamín, un homosexual de mediana edad, amigo de
la familia de Pipo, que vive angustiado por la soledad que le
produce su desequilibrio. Juanita, la amante de Gorila, una
emigrada murciana atrapada en la estrechez del ambiente.
También relacionado con el gigantón está el viejo Norte, su
compañero de trabajo. Por último encontramos a la abuela
de Pipo, una anciana en completo estado de senilidad; y a la

bondadosa Antonia, la sirvienta de la casa, siempre cuidando de la abuela.

Estructuralmente *Fiestas* presenta una arquitectura más sólida que las restantes novelas de la trilogía. Todos los personajes, incluyendo los secundarios, están relacionados de una manera u otra con la casa donde vive Pipo. Esta relación entre los personajes es uno de los elementos que da unidad a la novela. El otro elemento unitivo, que también sirve para mantener el ritmo de la narración, es la fiesta religiosa que se celebra en el pueblo. En los primeros capítulos casi no se hace mención a las fiestas pero, a medida que la trama se desarrolla, las celebraciones llegan a adquirir primordial importancia hasta llegar al momento del punto culminante cuando Pipo, al darse cuenta que ha traicionado a su amigo, se decide, sin éxito, a ponerlo sobre aviso y pasa la noche deambulando por la ciudad que, ajena a su drama, está de fiesta.

Con respecto a los personajes Goytisolo logra mostrarnos una visión polifacética de la sociedad barcelonesa. Por medio del Gorila llegamos a penetrar los barrios bajos de la ciudad poblados de mendigos, alcohólicos y prostitutas. Por otra parte, Arturo, el rencoroso y amargado hijo de doña Cecilia, pasa la mayor parte del tiempo observando, a través de unos prismáticos, la vida en las chabolas de los murcianos. Es por medio de este personaje que presenciamos el crecimiento diario del pobre barrio hasta que el Ayuntamiento decide desahuciar a sus habitantes. A través de otros personajes menos importantes nos relacionamos con la clase alta y media.

Casi todas las caracterizaciones de la novela, salvo en alguna u otra ocasión, están logradas en una forma realista y bastante objetiva. Pipo, rodeado de personas mayores con las que no puede identificarse, busca en el Gorila un héroe de carne y hueso en el que pueda depositar su confianza. El período de sexualidad ambigua por el que pasa el niño también está penetrantemente expuesto: «En un bolsillo guardaba un pedazo de papel y, mientras fingía desvestirse, garabateó con un lápiz: TE QUIERO. En el momento en que Norte no miraba entregó el papelito a su amigo y, acechó, mientras el viejo canturreaba a media voz. El Gorila lo leyó con cierta sorpresa... Rompió a reír, visiblemente halagado... Luego

Norte apagó la lamparilla y Pipo ya no pudo ver su cara. Acodado en el cabezal, aguardó no sabía qué, con el corazón palpitante: cinco, diez, quince minutos, pero el Gorila no daba señales de vida» (pág. 154).

La personalidad de Ortega también está proyectada de una forma realista y objetiva. Su idealismo, su preocupación por el pobre y su lucha contra la injusticia social, son características típicas del intelectual que Goytisolo quiere presentarnos. Las ideas del profesor están expuestas a través de los diálogos que sostiene con don Paco y con el hijo de un amigo. Por otra parte, su actitud frente a la apatía del pueblo hacia los pobres se manifiesta en las determinaciones que toma: rehusa participar en el fanatismo religioso del Congreso, a expensas de perder su puesto; y decide crear una escuela para los pobres del barrio murciano.

El testimonio que Goytisolo ofrece sobre las condiciones de vida en los barrios bajos alcanza un alto grado de verisimilitud y precisión realista. El Gorila, su amistad con Norte, sus relaciones con Juanita, en fin, todo el ambiente en que él se desenvuelve está expuesto en una forma objetiva muy convincente. En la caracterización de este personaje encontramos la reiteración de un tema que aparece en otras novelas: la evasión de la realidad. En este aspecto de su personalidad el Gorila se acerca mucho al Uribe de *Juegos de manos* y, como veremos, al Utah de *El circo*. No obstante, la forma casi infantil en que exterioriza su evasión —creando un mundo fantástico e inventando historias ficticias en las que él siempre resulta ser el héroe— lo acerca más a la personalidad del pintor que al escapismo alcohólico, morboso y angustiante de Uribe. El Gorila vive apesadumbrado por dos estigmas morales que le son muy difíciles de reconocer: la infidelidad de su antigua mujer, y el hecho de haberse convertido en asesino. Su fabulación es la única salida viable para escapar de su traumático pasado. De todos los personajes escapistas en las novelas de Goytisolo, el Gorila es el más afortunado. Su captura, cosa que en cierto modo él esperaba, viene a ser como un alivio a su constante huir de las autoridades y de sí mismo.

Con respecto a la temática de la novela observamos que

el autor presenta varios aspectos del problema sexual. Ya nos hemos referido a algunos episodios donde aparece este tema; sin embargo, queda por mencionar un aspecto más: la homosexualidad de Benjamín. En la caracterización de este personaje, a pesar del papel tan poco importante que juega dentro de la obra, Goytisolo ofrece un fino estudio del desequilibrio emocional que angustia a este pobre diablo. Su homosexualidad lo fuerza a llevar una vida solitaria y triste en la que su único aliciente es buscar la ocasión de satisfacer el anormal apetito sexual que lo domina.

El tema principal de la novela, la apatía de los religiosos del pueblo frente a las injusticias sociales, lo presenta el autor contrastando la pobreza con la riqueza en una forma marcadamente irónica. Así, en una escena de la obra encontramos el siguiente pasaje:

—Yo creo —dijo la visita al fin— que Melchor tiene razón cuando dice que el Ayuntamiento debería tomar medidas más enérgicas para combatir el chabolismo.

Con un dedo enjoyado señaló los solares cubiertos de barracas que se estendían hasta la ladera del monte.

—Un espectáculo así es indigno de una ciudad como la nuestra... Cuando pienso en la impresión que se llevarán los millares de peregrinos que, este verano asistan al Congreso... (pág. 26).

El mismo tipo de contraste irónico es el que observamos en otro pasaje de la novela. Mientras Pipo deambulaba por el barrio de chabolas, en el momento en que los murcianos estaban siendo desalojados por las autoridades, se detuvo a recoger un anuncio de la gran rifa que se había celebrado en el pueblo: «'Gran rifa de chocolates el Gato', 'USTEDES RECIBIRAN ALGO INESPERADO EL MES DE JUNIO'. Casi a pesar suyo levantó la cabeza y observó la comitiva de murcianos; realmente la casa anunciadora había cumplido su promesa. Lo recibido era, sin duda, muy distinto de lo que aquellas gentes habían soñado» (pág. 177).

En la última frase de la cita anterior observamos que Goytisolo traiciona uno de sus principales postulados objetivistas: el de la no intromisión del autor en los hechos que presenta.

Existen otros pasajes en la novela donde el autor también se desvía de su intento objetivo. El simbolismo de que está revestida la figura de Pira y la prosa poética de algunos fragmentos de su historia, se alejan considerablemente del objetivismo que persigue Goytisolo. Por otra parte, el autor tampoco se circunscribe a testimoniar lo externo, sino que en varias partes de la narración penetra la mente de los personajes y muestra al lector lo que allí encuentra. De esta forma, a través de un sueño del Gorila —un sueño con la curiosa técnica de una narración dialogada— llegamos a conocer las circunstancias en que el marinero cometió su crimen. De la misma forma, en las escenas finales de la novela cuando Pipo corre por las calles en busca de su amigo, el autor logra combinar, de forma muy efectiva, las frases que surgen de los autoparlantes de la ciudad con los pensamientos del niño: «'*Condenado*. CONDENADO...' La voz le perseguía, obsesiva, oculta entre las ramas de los árboles, le aguardaba, emboscaba, detrás de las esquinas. Inútil ocultarse o escapar. Dotada de poder milagroso, leía en la frente de los hombres, descubría la intimidad de sus pensamientos: 'Yo... He sido yo... Por mi culpa...'» (pág. 214).

La novela presenta evidentes contradicciones con respecto a los postulados objetivistas de Goytisolo. No obstante, en esta novela el autor se cuida de no caer en el psicologismo que encontramos en algunas de sus obras anteriores. Por otra parte, en lo concerniente al tema social nos parece que Goytisolo ha sabido distanciarse lo suficiente del asunto que trata para ofrecernos un testimonio bastante objetivo de la realidad española. Al referirse a este punto Peden ha dicho: «Goytisolo has made his point very tellingly. Without a single overt word of criticism agaits society or the Church that dominates it, he has expressed his opinion of the situation in contemporary Spain. In spirit, he follows to the letter his injunction to confront actual problems. He has deviated from his own proposal only in a few instances involving technique».[10]

Fiestas, como novela, es posiblemente la mejor de la trilogía. La estructura narrativa está bien integrada, los personajes muy bien caracterizados y el argumento perfilado en una forma clara y concreta. Podemos observar también, que el autor comienza a ocuparse de una serie de problemas sexuales y sociales que apenas aparecen en sus novelas anteriores. En el tema social de la obra se nota la intención del autor de calar en lo profundo de la sociedad española para dar a conocer la triste realidad del país.

La segunda novela de la trilogía, *El circo*, [11] escrita en Barcelona entre los meses de marzo y agosto de 1956, fue publicada en diciembre de 1957 por la Editorial Destino de Barcelona.

En esta obra, al igual que en *Fiestas*, encontramos a modo de introducción los siguientes versos de «El mañana efímero» de Machado:

> *El vano ayer engendrará un mañana*
> *vacío, y ¡por ventura!, pasajero.*
> *Será un joven lechuzo y tarambana,*
> *un sayón con hechuras de bolero.*

Este mañana de Machado, convertido en «hoy» para Goytisolo, es el ambiente «donde se encuentran aislados los personajes de la novela y, sobre todo, el extraño sujeto, bien poco verosímil a ratos llamado Utah, de profesión pintor de cuadros». [12]

El argumento de *El circo* es extremadamente suelto y no presenta grandes complicaciones. Los episodios se alternan sin presentar una verdadera unidad estructural. La acción se desarrolla en unas treinta horas y comienza en la tarde de un veintinueve de noviembre —fiesta de San Saturnino, santo patrón de la aldea catalana Las Caldas— y se extiende hasta la noche del día siguiente. El protagonista de la novela, Utah, es un pintor fracasado, insensato e irresponsable que trata de crear un mundo irreal y poético donde pueda refugiarse de la realidad. Impulsado por su precaria situación económica decide ir a Madrid con la intención de pedir dinero prestado a su familia. El viaje de regreso lo hace en taxi, y las escenas de esta disparatada aventura se mezclan —rompiendo las barreras del espacio— con las que protagonizan los habitantes de Las Caldas. El conflicto central de la obra radica en el asalto que planean cometer dos jóvenes murcianos, Atila y Pablo, quienes deciden robar a don Julio, el ricachón del pueblo. La noche del baile en honor al santo de la aldea ambos jóvenes entran en la oficina del rico con el propósito de forzar su caja de caudales. Los ladrones, en el momento en que encuentran el dinero que buscan, son sorprendidos por don Julio. Atila, lleno de temor por haber sido reconocido, mata al anciano con una navaja. Utah, que acababa de llegar a Las Caldas sin haber podido resolver su problema económico en Madrid, se dirige a casa de don Julio con la intención de pedirle dinero. Cuando llega al despacho del viejo ya el crimen había sido cometido y, en su incapacidad de distinguir la realidad de la fantasía, al encontrarse solo frente al cadáver, cree que las amenazas que había fraguado en su mente contra don Julio se han convertido en realidad y él mismo se proclama como el asesino del anciano. Cuando vuelve a sus cabales las autoridades no creen su inocencia debido a que las circunstancias se levantan en su contra. La novela termina cuando Utah, cansado y derrotado en su tentativa de escape, es apresado por la policía.

Dentro del argumento de la novela encontramos que se entrecruzan una serie de relatos y personajes «afines en algunos momentos, y divergentes en otros».[13] Atila y Pablo forman un dúo parecido a los que hemos encontrado en novelas anteriores. La sumisión de Pablo es muy semejante a la de David y a la de Abel. El narrador, describiendo la subordinación de Pablo a Atila, dice: «Pablo se remitía enteramente a su opinión, aceptaba sin protestas su jefatura y parecía casi orgulloso de su papel de comparsa. Su abnegación tenía algo de animal; era como un pobre can apaleado» (pág. 89). A pesar de las semejanzas con otros personajes del ciclo anterior, Pablo se diferencia de ellos en una característica esencial: nunca llega a ser víctima de Atila sino que, al contrario, saca ventaja de su relación con éste. Recordemos que Pablo nunca es traicionado ni engañado por Atila y que, al final, logra escaparse con su parte del botín.

Otra historia que se integra a la narración es la de Flora, una solterona que vive acosada por su frustración sexual y que busca escape en fantasías de hombres que la persiguen con proposiciones deshonestas. Como bien expone Villa Pasur «la historia de Flora, despiadada y sincera, es un fino y delicado estudio de frustraciones sexuales, de inhibiciones represivas, narrado con extraordinario conocimiento de los resortes psicológicos que condicionan y determinan el obrar humano».[14] El patético caso de frustración sexual que ahoga Flora alcanza su máxima expresión cuando, desesperada, seduce al idiota del pueblo y le ofrece su virginidad.

Utah es otro de los personajes evasionistas que presenta Goytisolo. Existe, no obstante, una gran diferencia en su forma de evasión ya que ésta radica en la actitud juguetona que el personaje muestra frente a la vida y a la realidad. Utah no es un ser angustiado como otros evasionistas goytisolianos, sino que toma la vida en sus aspectos más risibles y espectaculares creando de esos elementos un mundo propio que le permite alejarse de sus obligaciones: «La fabulación era su reflejo de defensa ante las situaciones de peligro. Cuando se sentía amenazado, se evadía. Algo más fuerte que él le obligaba a escudarse en una sucesión alocada de antifaces» (pág. 15). Utah es un ser irresponsable y totalmente incapaz de hacer frente a sus circunstancias; sin embargo, su carácter burlón, su amor a los niños, su temperamento poético y sus propias fantasías infantiles hacen de él un personaje extremadamente simpático que resulta agradable al lector. Visto desde esta perspectiva, Utah se aleja por completo de lo que podemos considerar como patrón normal de la conducta humana, su respuesta a la vida se traduce en acciones evasivas que al mismo tiempo dejan entrever su deseo de rebelarse contra las normas establecidas por la sociedad. Es por esto que en lugar de pagar las cuentas que abruman a su familia regala el poco dinero que posee entre los niños pobres de la ciudad.

Según José Luis Cano, el personaje de Utah representa «la rebelión de la fantasía contra el achatamiento y mediocridad crecientes de la sociedad».[15] Este punto de vista nos parece acertado al comparar a Utah con la vacuidad que observamos en otros personajes y situaciones de la novela. En una parte de la obra se describe una escena de familia que destila la falta de profundidad y de comunicación de los personajes. La familia Olano está reunida en el comedor a la hora de la cena. El diálogo es vacío y trivial: la madre se queja de que no le prestan atención, el padre escucha la radio y comenta la sensacional última noticia de que «en Pamplona... acaban de construir un templo de cincuenta metros de alto en menos de ochenta y cinco días...» (pág. 68). Al mismo tiempo, las dos hijas se pelean y el niño más pequeño se queja de la sopa de pescado. A esta amalgama de sonidos se une el retintín de una campanilla que la madre utiliza para llamar a la criada sorda. Todos sabían que era inútil llamarla con un sonido tan débil, «pero era tan elegante emplear la campanilla...» (página 66).

Otra escena que refleja el gusto de la clase media de La Caldas por lo ficticio y artificial se advierte en casa de los López durante una fiesta de gala en honor a su hija Sonia. Los españoles allí reunidos hablan en inglés entre sí y tratan de imitar las costumbres de los extranjeros que conocen. Las conversaciones que entablan los invitados son completamente vacías y superficiales, salpicadas de clisés y frases huecas. La única preocupación que estimula a estos fantoches es la de aparentar una posición social y económica superior a la que en realidad poseen. Ante este ambiente ficticio e inauténtico se levanta la original figura de Utah en un vano intento de rebelión contra lo vulgar y regalado de la existencia. Este mundo hueco y mediocre que Goytisolo pinta en su obra es «el mañana vacío» a que Machado se refería en sus versos. Desde este punto de vista la actitud de Goytisolo es pesimista pues si Machado dice en su poema que este mañana será «¡por ventura!, pasajero», el novelista hace que su poético personaje sucumba y caiga en la trampa que le tiende la sociedad. Al final de la obra el mundo de ficción en que vivía Utah se convierte, aparentemente, en realidad. Sin embargo, como dice Buckley, el resultado de este hecho no es la felicidad de Utah, como cabría esperar, sino su detención y presunta muerte, fracasando en su intento de rebeldía contra la sociedad. [17]

Al hablar de *El circo*, Goytisolo ha dicho que se trata de «una farsa que acaba mal». [18] En realidad, más que una farsa, la novela es una sátira de marcado tono social donde el autor presenta una visión heterogénea de la sociedad. Junto a la alta clase media que se preocupa de bailes y funciones benéficas, el autor expone los problemas de los emigrados murcianos quienes, despreciados por todos, viven en las peores condiciones imaginables. Para salir del ambiente agobiante en que viven, los murcianos sólo pueden recurrir al crimen y al robo, o a enamorar jovencitas burguesas y adineradas.

La diferencia entre las clases sociales que trata de pintar Goytisolo se manifiesta claramente en el diálogo que sostiene Atila, el joven murciano, y su novia, Juana Olano. Cuando la joven dice a Atila que él es el único hombre en su vida, el muchacho responde: «Sí, pero cuando estás con tus amigos, no dejas que me acerque. Entonces eres la señorita Olano. La señorita Olano alternando con gentes de su clase...» (pág .78). Más adelante, refiriéndose al acto sexual y dirigiéndose a Juana, sarcásticamente, en tercera persona, el joven dice: «Para eso prefiere a Atila, un hijo de murcianos... Entonces, cuando nadie la ve, la señorita deja a sus amigos y se va a buscar al murciano que, en cambio, le hace pasar un buen rato...» (pág. 78). El reiterado uso peyorativo de la palabra «murciano» resulta evidente; por otra parte, también se advierte con claridad el deseo de Juana de guardar las apariencias por temor a las represalias sociales y familiares.

Cuando hablamos del tema social en *El circo* no podemos dejar de mencionar la relación que Goytisolo establece entre este asunto y el turismo. Los extranjeros que Goytisolo presenta en esta novela observan fríamente la pobreza española, con la misma actitud del que asiste a un espectáculo de circo o del que pasea por las calles mirando vidrieras:

Los turistas dispararon, clik, clak, las máquinas fotográficas. Los mendigos dejaron de discutir y empezaron a preparar la comida...
—¿Has visto? —percibió Celia en inglés—. Parecen de Goya o de Solana...
—El más viejo, el de la izquierda... Me gustaría fotografiarlo...
—¿Te has fijado cómo se mueve?
—Nunca he visto un pobre con tanta dignidad.
—Llevan el señorío en la sangre (pág. 125).

En esta escena encontramos que no hay ninguna referencia directa al turismo ni a los turistas. El autor deja que los personajes expresen sus propios puntos de vista a través del diálogo. Sin embargo, no podemos dejar de sentir la presencia de Goytisolo escondida en la aparente objetividad del diálogo. El autor, al hablar en uno de sus ensayos sobre la actitud de los extranjeros en España, dice: «El europeo admira el atraso de España como un motivo estético y, a la manera de nuestros conservadores del siglo XIX, nos pide que permanezcamos tal cual somos... Los europeos nos han impuesto un personaje y exigen que lo representemos con fidelidad. Los españoles somos valientes, orgullosos, hidalgos y otras muchas cosas, pero no debemos salir nunca de los límites de una pobreza 'ascética'». [19] Vemos, pues, que la objetividad de la escena de los mendigos es engañosa. Goytisolo maneja hábilmente el diálogo presentando sus propias ideas en una forma velada y sutil. A este punto, precisamente, es al que se refiere Cirre cuando dice que el peligro más grave que amenaza el intento objetivo de Goytisolo es «el de que la realidad inventada dependa, a veces, de concepciones previas a la experiencia». [20]

El problema del turismo pasa a ser tema de dicusión entre los personajes de la obra. Esta vez no existen veladas sugerencias en el diálogo sino que los personajes hablan directa y libremente sobre el asunto:

—El turismo tiene sus pros y sus contras —puntualizó Lola.
—Sí —dijo doña Carmen—. Por un lado deja dinero. Pero, por el otro, deja muchos males (pág. 143).

En este diálogo vemos que los argumentos a favor del turismo se traducen en un sólo beneficio: dinero. Por otra parte, no encontramos juicios contra los efectos del turismo hasta que el narrador los expone, en forma muy indirecta, al describir las casas más pobres de la ciudad: «El bloque de casas donde vivía Atila parecía, desde la carretera, carente de tercera dimensión, como una maqueta colocada para el rodaje de una película. El Ayuntamiento lo había construido veinte años atrás para alojar a los pescadores arrojados del casco antiguo del pueblo por la invasión de veraneantes. Desde entonces su población se había cuadruplicado. Los primeros emigrantes habían acampado en la colina, con sus chabolas, casuchas y barraquitas» (pág. 128). En este pasaje podemos observar una solapada crítica a la injusticia social. El gobierno, para facilitar el auge del turismo, desatiende el problema de los pobres llegando hasta el punto de forzarlos, indirectamente, a crear barrios de chabolas.

La influencia cultural y económica extranjera, en especial la norteamericana, aparece en la novela como un elemento nocivo al pueblo. Ya nos hemos referido a la fiesta de los López donde los invitados pierden su identidad española tratando de copiar los modos de vivir norteamericanos. Por otra parte, si la influencia económica extranjera deja dinero en el país, también actúa como factor positivo en la creación de la pobreza española. El mismo punto de vista puede observarse en la presencia simbólica de los anuncios de compañías extranjeras que aparecen en la obra. La alusión a estos carteles propagandísticos siempre aparece en contraste con la pobreza del país. Observamos que en el siguiente pasaje los anuncios «gigantescos», como los califica el autor con marcada doble intención, se encuentran en la ladera de una colina como reinando sobre el barrio pobre que se alza más abajo: «En la ladera de la colina dos anuncios gigantescos: *Aceites Esso* y *Chesterfield, la marca genuinamente americana,* se iluminaban por la noche al ser alcanzados, desde la curva de la carretera, por los brochazos de luz de los automóviles. Un poco más abajo se extendía un barrio pobre, de barracas» (página 110).

El motivo de los carteles aparece de nuevo en las últimas páginas de la novela cuando el protagonista es apresado por las autoridades. Al comentar el desenlace de la obra, Cano ha dicho que «el final de Utah es el que tenía que ser: cogido en la trampa que le tiende la sociedad».[21] No hay duda que el núcleo social de Las Caldas toma parte activa en el trágico final del protagonista. Recordemos que la fabulación del pintor era también una forma de rebeldía contra la vacuidad del ambiente. Por lo tanto, el fracaso de Utah en su intento de evasión representa el triunfo del medio social. No obstante, debemos tomar en consideración las reiteradas sugerencias que aparecen en la novela respecto a las influencias culturales y económicas de otros países en la sociedad española. Vista desde este ángulo, la derrota del pintor es un resultado indirecto de las influencias extranjeras sobre el medio ambiente español. Este es el simbolismo que creemos encontrar en una de las escenas finales cuando Utah, tratando de escapar a la justicia junto con su amiguito Pancho, es atrapado por el mundo real en las redes de su propia fantasía, al pie de otro «gigantesco» anuncio: «La verdad volvía a asediarle de nuevo... Y, de pronto, mientras se acercaba a un cartel enorme, *Chesterfield, la marca genuinamente americana*, plantado entre unas estepas, un potente foco de luz les alcanzó de lleno deslumbrándolos como a dos mariposas nocturnas... El paisaje entero era como una trampa gigantesca» (págs. 242-243).

Kessel Schwartz considera que esta novela es la más débil de Goytisolo.[22] Estructuralmente la obra carece de unidad ya que los episodios y personajes que el autor presenta en ella están relacionados solamente por el hecho de vivir en el mismo pueblo. El asesinato de don Julio —que viene a ser el argumento central de la novela— sólo tiene relevancia en las vidas de unos pocos personajes.

En lo que respecta a algunos aspectos del método narrativo, la obra representa un paso de avance hacia la objetividad que en esta época preocupaba a Goytisolo. En esta obra el autor amplía sus miras para ofrecer un retablo heterogéneo de un segmento de la sociedad española. En la novela encontramos personajes de la clase alta, media y pobre, al igual que otros elementos eclesiásticos y políticos que forman la sociedad de los pueblos de provincia. Por una parte, el autor evita inmiscuirse directamente en la narración y deja que el lector analice a los personajes a través de los diálogos y peripecias de la acción. Por otra parte, sin embargo, Goytisolo recurre en varias ocasiones al análisis psicológico para mostrar al lector los aspectos más íntimos de los tipos que presenta. Tal es el caso de Utah cuando el narrador lo describe como dado a la fabulación y a la fantasía. Lo mismo ocurre en el caso de Celia cuando, a través del estilo indirecto libre, penetramos en la mente del personaje mientras ella recuerda retazos de conversaciones sostenidas con sus amigas: «Inútilmente quería expulsar de su memoria las palabras de Julia: *'Durante el verano se paseó con una extranjera... El peor de la banda... Yo, de usted, procuraría ni saludarlo'*» (pág. 125).

En realidad, la ausencia del autor en esta obra nos parece engañosa y artificial. Las ideas que expresan algunos personajes, o las que se infieren de algunos pasajes «objetivos» con respecto a los problemas sociales y a las influencias extranjeras, guardan grandes semejanzas con las ideas de Goytisolo. Analizando la objetividad desde otro ángulo, nos parece que el autor utiliza los personajes y situaciones de la narración como medio para difundir sus propios puntos de vista.

Con respecto a la temática, Goytisolo se abre a tratar dos nuevos aspectos: el social y el sexual, ilustrado maravillosamente este último en la frustración que agobia a la señorita Flora. El tema social está tratado ampliamente a través de toda la obra en los distintos episodios y situaciones que el autor presenta. Así, se advierte la importancia de este tema en la diferencia de clases, en la pobreza del ambiente, en la mendicidad, en la apatía de las clases altas y en las injusticias a que están sometidos los murcianos que habitan las chabolas. La necesidad que sufren estos emigrantes, acosados en un ambiente totalmente adverso, es la causa principal que los lanza al crimen. Por esto, el robo que planea cometer Atila se lleva a cabo debido a la frustración que siente el joven al no poderse considerar a la misma altura social en que se encuentran los amigos de su novia: «Pero esto se ha acabado. A partir de ahora no tendrás ocasión de avergonzarte, como el otro día, cuando nos cruzamos en la plaza... ¡Cristo, lo hubiera molido a coces al macaco ese que te acompañaba!... Un tío peor hecho que yo, pero decente, porque en su casa tienen cuartos... Mañana seré como él. Podré llevarte donde me dé la real gana...» (pág. 80).

En *El circo*, pues, el autor refleja una intención distinta de la que encontramos en novelas anteriores. De aquí que la estructura sea menos cerrada y menos sólida, con un desenlace un tanto precipitado. [23] Por otra parte, con respecto al estilo, Goytisolo parece olvidarse del magnífico logro de *Duelo en El Paraíso,* cayendo de nuevo en una prosa poco cuidada en la que se repiten imágenes y pasajes narrativos. Lo novedoso de esta novela radica en la temática social y sexual que será una constante en su novelística.

La tercera novela de la trilogía, *La resaca,* fue publicada en París, en 1958, por la editorial Club del Libro Español. [24] Al igual que en el caso de *Fiestas,* la novela fue prohibida en España a raíz de su publicaión. Antes de aparecer la primera edición francesa, la novela fue anunciada por el propio autor bajo el título *Los murcianos.* [25] A pesar del impacto que causa la lectura de esta obra, se advierte una nota de esperanza en la cita de «El mañana efímero» con que el autor cierra la narración:

> *...Más otra España nace,*
> *la España del cincel y de la maza*
> *con esa eterna juventud que se hace*
> *del pasado macizo de la raza.*

La resaca presenta la vida en un pobre suburbio barcelonés poblado en su mayoría por emigrantes murcianos. En la obra aparecen mezclados, como en una resaca que arroja a la playa toda la basura del mar, «el truhán, el pordiosero de oficio y el maleante». [26] Los personajes de la obra representan los distintos tipos que se pueden encontrar en los barrios bajos: Antonio, un adolescente víctima de la miseria de su casa. Su padre, Cinco Duros, sólo se preocupa de emborracharse con Cien Gramos. Metralla es un joven ladronzuelo ducho en el arte de la bribonería y el engaño. Giner, es un viejo republicano que no se resigna a darse por vencido en su lucha política. Emilio, el joven amigo de Giner que decide irse a Francia en busca de nuevos horizontes de trabajo. Saturio un hombre sencillo y en extremo religioso. El viejo Evaristo veterano de varias guerras, vive en una miseria absoluta y termina siendo desahuciado de su chabola. La gitanilla Coral una prostituta de dieciséis años que gasta todo su dinero comprando las muñecas que no tuvo de niña. Por último están todos los integrantes del grupo de adolescentes ladrones que representan tipos de la más baja catadura moral.

La estructura de la novela es muy parecida a la de *El circo*. También hay aquí una serie de «planos cambiantes que rompen toda linealidad a la manera clásica». [27] Los personajes de la obra van entretejiendo sus actuaciones de manera que producen una red de relatos unidos por el ambiente en que se desenvuelven los protagonistas. A pesar de la fragmentación narrativa que se observa en la obra, podemos hablar de un argumento: Antonio, un joven de las chabolas, de temperamento sumiso y de manifiesta ingenuidad, se une a la banda de adolescentes murcianos que capitanea Metralla. Los ladronzuelos aprovechan que la iglesia planea un homenaje a la virgen, y fraguan un plan para estafar a las familias pudientes haciéndose pasar por representantes religiosos. Antonio es el señalado para ir de casa en casa haciendo la recolecta, y todo el dinero que recibe lo entrega a Metralla para sufragar el viaje que ambos han decidido hacer a América. La esposa de un santero, después de pagar una gran suma de dinero, convence a la familia de Antonio para que éste vaya a vivir con ella. La pobre señora encuentra un gran parecido entre Antonio y el hijo que ella había perdido años atrás. Metralla hace que Antonio se aproveche de la ilusión de la pobre mujer para robarle pequeñas cantidades de dinero con vistas a reunir la suma necesaria para el viaje a América. Cuando llega el día de la partida Metralla traiciona a su compañero y se marcha solo con todo el botín.

En la relación entre Metralla y Antonio se reiteran ciertas características de otros personajes en otras novelas del autor. Por una parte, la extraña amistad de los jóvenes, el viaje que planean hacer y la traición final de Metralla, nos hacen recordar la relación de Pablo y Abel en *Duelo en El Paraíso*. Por otra parte, la personalidad de Antonio y muchas de las peripecias por las que pasa el jovenzuelo, se asemejan extraordinariamente a las peripecias de Pipo en *Fiestas*. Hay un momento en la narración, cuando el pueblo festeja el día de San Juan (recordemos que en *Fiestas* y en *El circo* también había una celebración religiosa), en que Metralla abandona a Antonio para irse a beber con sus amigotes. El niño se dedica a recorrer la ciudad en busca de su amigo hasta que atontado por el bullicio de los festejos, se queda dormido en el borde de una acera. Una experiencia semejante encontramos en *Fiestas* cuando Pipo pasa toda la noche buscando al Gorila hasta quedar rendido de cansancio.

Antonio, al igual que Pipo, también pierde su inocencia a manos de una prostituta. En este caso es la joven gitanilla la que inicia al niño en el contacto sexual. La escena entre Coral y Antonio es, sin duda, «uno de los momentos más finamente trazados del libro».[28] La confusión de Antonio y la ternura casi maternal de Coral durante el preludio amoroso están presentados con una gran profundidad psicológica.

Podemos observar otra semejanza entre Pipo y Antonio en las páginas finales de la novela. La reacción de Antonio cuando éste deja atrás sus fantasías infantiles para aceptar la realidad de sus circunstancias: «Antonio comprendió, con una mezcla de tristeza y alivio, que su niñez había muerto y que en adelante, jamás podría escaparse» (pág. 250).

Otro personaje importante de la novela es Giner, el viejo republicano empleado de un garage. A pesar de su humilde profesión, el viejo es profundamente admirado por sus amigos y compañeros debido a su idealismo y gran sentido común. Los paralelos entre este personaje y el profesor Ortega de *Fiestas* son innegables. Ambos son intelectualmente superiores a las personas que los rodean y al mismo tiempo muestran una sincera preocupación social. Así, en *Fiestas,* el profesor mantiene que las clases menos privilegiadas deben unirse para combatir la injusticia social: «Desunidos —afirmó sentenciosamente Ortega— seremos siempre un rebaño de esclavos... No hay salida para la gente aislada —dijo—. Si nosotros no acudimos al encuentro de la injusticia, la injusticia acude a nosotros» (pág. 182). La misma idea de Ortega martillea constantemente el cerebro de Giner: «Había que actuar y actuar rápido. Un centenar de abejas en el hueco de un árbol, constituían un enjambre. Diez mil obreros acampados en una explanada, no formaban absolutamente nada; eran diez mil obreros tan sólo, encerrados cada uno en su concha, solitarios y desunidos» (pág. 71).

La lucha de Giner por lograr la unidad obrera fracasa

ante la apatía del mismo grupo que él quiere redimir. Cuando el garagista reúne a los trabajadores del pueblo para explicarles la necesidad de formar un sindicato, se encuentra ante unos hombre sin ideales, sumidos en el materialismo de la rutina diaria. También Costa, el amigo de Giner trata de explicar a los trabajadores lo sublime de la tarea que deben emprender. Los obreros no le prestan atención y le responden:

—Pue ser muy sublime y muy lo que usté quiera —repuso el estibador bajito—. Pero, a estas alturas, nadie está para ideales ni santidades.
—La gente sólo va a lo suyo —dijo el tercer estibador.
—El café, un buen carajillo...
—El cine, el fútbol, los toros...
—Un polvete por ahí de vez en cuando... (pág. 223).

En este pasaje advertimos que el autor trata de presentar la imagen que él tiene del pueblo español. En uno de sus ensayos Goytisolo ataca a los escritores que idealizan las clases oprimidas: «Estos autores identifican la acción heroica de unos grupos en nombre del pueblo, con el pueblo entero. En un país donde la despolitización es patrimonio común de las distintas capas sociales pintan a las masas obreras y campesinas plenamente conscientes y lúcidas de la baza que se ventila».[29] Así, pues, Goytisolo intenta establecer en *La resaca* la división que él cree encontrar en la vida real: frente al interés y preocupación por el problema social que observamos en Giner, encontramos la reacción apática, pusilánime e ignorante de los obreros.

Otro problema que el autor plantea en esta obra es el del medio en que habitan los emigrados murcianos: «Miles de hombres, venidos del sur... vivían a las puertas de la ciudad, en condiciones miserables» (pág. 71). Los murcianos de *La resaca* viven hacinados en un ambiente de pobreza y necesidad que los fuerza al bandolerismo. Como dice uno de los personajes: «La honradez no renta en este país... Aquí, el que no bribonea, se muerde los puños de hambre» (pág. 129). El autor establece a las claras una relación directa entre el ambiente agobiante de las chabolas y la amoralidad de sus habitantes. Coral se lanza a la prostitución, después de haber sido violada por su padre, como único medio para subsistir. Cien Gramos y Cinco Duros tratan de escapar a la triste realidad del ambiente sumiéndose en divagaciones alcohólicas. Antonio no encuentra otra salida que la de unirse a un grupo de ladrones cuyas actividades «empezaban a conocerse en el barrio, en donde vivían la mayor parte de las familias de los chicos, hacinadas, como la suya, en miserables chabolas y barracas» (pág. 61).

Al igual que en *Fiestas* y en *El circo*, Goytisolo recurre a la ironía y al contraste para exponer la crítica social de la obra. En una de las escenas el autor presenta un grupo de niños hambrientos y desnutridos durante el proceso de ser preparados para tomar la primera comunión. La ironía de este hecho se manifiesta en la descripción del local donde se lleva a cabo la instrucción religiosa: «Sobre la tarima, había un crucifijo de madera y los retratos de Franco y José Antonio. Al pie, alguien había escrito una consigna: 'El HOMBRE NO SOLO VIVE DE PAN. NUESTRO REGIMEN NO ES MATERIALISTA'» (pág. 92). Día a día, haciendo caso omiso del hambre que dominaba a los niños, el cura comenzaba la instrucción religiosa mientras que «por las ventanas entornadas, la brisa traía el aroma de la cocina de los merenderos, el aceitoso olor de los churros...» (pág. 93).

El aspecto irónico más triste de la obra, y el que más impacto causa al lector, está relacionado con la historia del viejo Evaristo. El pobre anciano, veterano de varias guerras es injustamente desahuciado de su casucha. Al verse en la calle el pobre viejo se dio cuenta de que tendría que dedicarse a vivir de la caridad pública. Su casa, pobre y pequeña «era todo lo que poseía en el mundo. Expulsarle equivalía a condenarle a morir de hambre y de vergüenza, en la calle o en el asilo» (pág. 264). Por fin, después de escribir una carta al Capitán General de la región, en la que incluyó todas sus condecoraciones militares, se marchó a un lugar solitario y, al pie de un muro, se cortó las venas con la navaja de afeitar. Sobre la pared, irónicamente, aparecía esta leyenda oficial: «NI UN HOGAR SIN LUMBRE, NI UN ESPAÑOL SIN PAN» (pág. 266).

La ironía que se desprende de estos pasajes parece ser, en parte al menos, resultado de la admiración que Goytisolo siente por Larra. También, circunscribiéndonos ahora al problema que enfrenta el escritor social en España, la ironía es un eficaz recurso para exponer, veladamente, los aspectos sociales que el novelista desea denunciar. De esta forma, la crítica no resulta tan evidente, y el escritor puede, en ciertos casos, escaparse de la censura. En esto Goytisolo parece querer seguir a Larra, quien manejaba la ironía con gran precisión y destreza. Goytisolo, al hablar de esta habilidad de Larra, dice: «Obligado a jugar con la censura, Fígaro maneja de modo insuperable la ironía y demuestra conocer a fondo la astucia de Shakespeare cuando, en el discurso de Antonio ante los restos mortales de César, afirma sin cesar la respetabilidad de Bruto, pero describe su crimen y da de él una imagen mucho más sobrecogedora que la del criminal». [30]

El problema de la mendicidad también es un tema recurrente en *La resaca,* y siempre aparece relacionado con los turistas que recorren las calles en busca de lo típico del pueblo español: «Americanos, turistas y parejas celebraban la fiesta en medio del traque de los cohetes, excitados por el penetrante olor de las cocinas y churrerías. —Mesié sil vu plé. —Déme monei. —Pesetas, míster» (pág. 172). Un pasaje semejante al anterior, de gran parecido en el ambiente que se presenta, encontramos en *El Circo* cuando Celia se pasea por las afueras de la ciudad: «En la carretera, cerca del barrio de los pescadores, volvió a tropezar con los turistas. Se habían detenido a descansar en el banco de piedra y sufrían el bullicioso asedio de media docena de chiquillos. —Mesié sil vu plé. —Déme monei. —Pesetas, míster» (pág. 128). [31]

La crítica social de la obra va dirigida tanto contra la clase alta como contra la clase baja. Goytisolo trata de ser imparcial en su análisis de la sociedad española exponiendo no sólo las injusticias de las clases altas, sino también los defectos y vicios de las clases bajas. Al hablar sobre los objetivos de su generación respecto a la literatura testimonial, Goytisolo dice: «Los escritores hemos de imponer el dicho 'quien bien te quiere te hará llorar' como principio rector de nuestra conducta. Idealizar al pueblo, ocultar sus defectos, sería prestarle un flaco servicio. Si nuestro propósito es la destrucción de los mitos de la España sagrada el 'buen pueblo' forma parte de este arsenal de mitos». [32]

Así, pues, en *La resaca* encontramos expuestos la mayor parte de los defectos, vicios y malas costumbres de los murcianos. Goytisolo ataca directamente la holgazanería de muchos trabajadores que se aprovechan del seguro de compensación obrera para sufragar sus vicios. Este es el caso de Cien Gramos, que cada mes cobra la indemnización por los dedos perdidos en un accidente del trabajo. Para él lo lógico es embriagarse mientras dure el dinero olvidándose de las responsabilidades que tiene con su mujer e hijos. Un caso semejante es el que encontramos en el personaje el Camas de *Fiestas*. Doña Rosa, la dueña de una taberna, lo describe así: «Durante treinta días vive de lo que le regalan sus amigos y duerme en el muelle tumbado en las cestas de pescado. Luego, cobra el seguro del accidente del ojo y se lo bebe por ahí en una noche...» (pág. 101).

A pesar del ambiente casi grotesco de *La resaca*, parece que el autor, al igual que Machado en su poema, tiene la esperanza de que la situación cambie en el futuro. Así, en la última página de la novela encontramos esa esperanza personificada en Carlitos, el hijo de Saturio. El niño es el señalado para declamar el discurso de bienvenida al Señor Delegado durante las celebraciones religiosas. En el momento de pronunciar su discurso, en medio de una falsa atmósfera de religiosidad, el niño se da cuenta de la hipocresía del acto, «y, de repente, como a un condenado antes de morir, la vida se presentó desnuda a sus ojos, y se acordó de Saturio y de la niña, de Giner y del viejo expulsado de la caseta. Las lágrimas brotaron incontenibles deformando su visión del grupo sonriente y benigno y, cuando la música enmudeció y el cura le hizo un ademán con el brazo, sólo acertó a balbucir:
—Delegado... Somos pobres... Mi padre...» (pág. 274). Así, pues, Carlitos representa la nueva generación española que, cansada de las injusticias sociales en nombre de la Iglesia, rehusa aceptar el fanatismo religioso de sus padres logrando aquilatar la verdadera tragedia española.

Pablo Gil-Casado ha dicho que en *La resaca* el autor expone los aspectos bajos que se encuentran en la vida de algunos seres, «pero sin ahondar en los problemas de estas gentes o en el medio ambiente en que viven, los cuales constituyen el pretexto para la novela, y cuyo significado y trascendencia se eluden... Lo mismo ocurre con el lema oficial: 'Ni un hogar sin lumbre, ni un español sin pan'. Este 'slogan' aparece repetidamente en la novela pero no se entra en su verdadero significado».[33] En realidad, nos parece que Goytisolo presenta el problema social en la novela con toda la profundidad que una obra de ficción permite. La intención del autor, creemos, no ha sido escribir un estudio sociológico sobre las condiciones de vida en las chabolas, sino presentar objetivamente el ambiente en que se desenvuelven estos seres dejando que el lector juzgue por sí mismo y saque sus propias conclusiones. Con respecto al lema, «ni un hogar sin lumbre, ni un español sin pan», nos parece que Goytisolo sí entra en el verdadero significado de la frase a través del contraste irónico que establece entre la sociedad, orgullosa de su consigna, y el caso del pobre Evaristo que se suicida —precisamente al pie de una leyenda semejante— debido a que se encuentra, injustamente, sin hogar y sin pan.

Debemos hacer notar que en *La resaca*, en *El circo* y en *Fiestas*, Goytisolo fustiga numerosos aspectos de la sociedad española contemporánea. Al exponer su crítica social el autor tiene que cuidarse mucho para no caer, por temor a la censura, en una exposición abierta de los problemas que presenta. Es por esto que Goytisolo recurre al empleo de contrastes irónicos, o a la yuxtaposición de elementos dispares (en lo económico, lo psicológico y lo emotivo) que produce un choque ideológico en el lector. Así, en *El circo* encontramos numerosos contrastes en las escenas de los mendigos, en la descripción del barrio murciano y en el simbolismo de los carteles. En *La resaca* el autor utiliza la misma técnica en numerosas descripciones de la pobreza española y, en especial, en la escena en que el viejo Evaristo se suicida bajo un muro en el que estaba escrito el lema de «ni un hogar sin lumbre, ni un español sin pan».[34]

Así pues, la técnica de los contrastes es la misma que la técnica simbolista de crear una nueva realidad, una síntesis, de dos realidades dispares, pero con la diferencia de orientarse hacia lo ideológico-sociológico. Hasta cierto punto, nos encontramos ante una especie de «simbolismo dirigido».

Las novelas de la trilogía forman, pues, un grupo aparte de las obras del primer período. En las dos primeras narraciones de Goytisolo observábamos que la preocupación del autor era mostrar las terribles consecuencias de la guerra civil en la sociedad española. En las novelas de la trilogía, en cambio, Goytisolo presenta una crítica de la situación social en la España contemporánea. La injusticia social, los barrios de murcianos, la mendicidad, el bandolerismo y la apatía de los grupos religiosos, son los principales temas y motivos que encontramos en las tres obras. También hemos de mencionar, como características comunes a estas novelas, la reiteración del tema sexual, tratado ampliamente en las tres narraciones, y la repetición de situaciones y personajes.

Con respecto a la estructura novelística en *El circo, Fiestas* y *La resaca* «debe indicarse que Goytisolo se muestra menos ambicioso que en las novelas precedentes y, al mismo tiempo, más dueño del instrumental técnico, ahora manejado con una mayor destreza».[35] Estructuralmente *Fiestas* es la mejor novela, pero en todas las obras de la trilogía encontramos una serie de cuadros sueltos que corresponden a acciones múltiples y simultáneas. No obstante, estas fragmentaciones narrativas aparecen enlazadas mediante el ambiente religioso que sirve de fondo a las tres obras. Las novelas de este período representan en sí tres etapas progresivas hacia la culminación del realismo objetivo que encontramos en *La resaca* aunque, por su gran interés en lo psicológico-emotivo y su orientación ideológica, el autor no quiere o no puede lograr un objetivismo puro, totalmente imparcial.

NOTAS

1. Juan Goytisolo, *Fiestas* (Buenos Aires: Emecé, 1958). Citaré de esta edición indicando el número de las páginas, entre paréntesis, en el texto.

2. Ignacio Iglesias, «Juan Goytisolo: *Fiestas*», *Cuadernos*, núm. 36 (mayo-junio, 1959), 114.

3. A. Martínez Adell, «Juan Goytisolo: *Fiestas*», *Insula*, XIII, núm. 145 (diciembre, 1958), 6.

4. Antonio Machado, «El mañana efímero», en *Poesías Completas* (Madrid: Agui-

lar, 1928), págs. 201-203. Todos los versos del poema que reproduzco en este capítulo provienen de esta edición.

5. José María Martínez Cachero, «El novelista Juan Goytisolo», *Papeles de Son Armadans*, XXXII, núm. 95 (febrero, 1964), 144.

6. Kessel Schwartz, «The Novels of Juan Goytisolo», *Hispania*, XLVII (mayo, 1964), 305. Schwartz opina que el protagonista no es Pipo, sino su amigo el Gorila, pero no presenta las bases en que fundamenta su punto de vista.

7. Martínez Adell, pág. 6.

8. *Ibid.*, pág. 6.

9. «Juan Goytisolo's *Fiestas*: An Analysis and Commentary», *Hispania*, L (septiembre, 1967), 464.

10. *Ibid.*, pág. 465.

11. Juan Goytisolo, *El circo* (Barcelona: Destino, 1957). Citaré de esta edición, indicando los números de las páginas al final del texto.

12. Martínez Cachero, pág. 143.

13. J. Villa Pastur, «Juan Goytisolo: *El circo*», *Archivum*, VII, núm. 1 (enero-diciembre, 1957), 363.

14. *Ibid.*, pág. 364.

15. José Luis Cano, «Tres novelas», *Insula*, XIII, núm. 136 (marzo, 1958), 6.

16. *Ibid.*, pág. 6.

17. Ramón Buckley, *Problemas formales en la novela española contemporánea* (Barcelona: Península, 1968), pág. 167.

18. José Luis Cano, «Con Juan Goytisolo en París». *Insula*, XII, núm. 132 (noviembre, 1957), 8.

19. Juan Goytisolo, «Examen de conciencia», en *El furgón de cola* (París: Ruedo Ibérico, 1967), pág. 180.

20. José Francisco Cirre, «Novela e ideología en Juan Goytisolo», *Insula*, XXI, núm. 230 (enero, 1966), 12.

21. José Luis Cano, «Tres novelas», pág. 6.

22. Juan Goytisolo, *Fiestas*, edición, introducción y notas de Kessel Schwartz (New York: Dell, 1964), pág. 6.

23. La obra carece de unidad precisamente por reflejar el afán del autor de representar una colectividad. Esta es la técnica que popularizó Jules Romains con el unanimismo, y fue más tarde empleada por Dos Passos y Sartre.

24. Ignacio Iglesias, «Juan Goytisolo: *La resaca*», *Cuadernos*, núm. 36 (mayo-junio, 1959), 114.

25. José Luis Cano, «Con Juan Goytisolo en París», pág. 8.

26. Cita que aparece encabezando la edición del Club del Libro Español, París, 1958. Citaré de esta edición indicando los números de las páginas en el texto.

27. Francisco Fernández Santos, «*La resaca*», *Indice de Artes y Letras*, núm. 129 (octubre, 1959), 20.

28. Eugenio de Nora, *La novela española contemporánea*, II (Madrid: Gredos, 1958), pág. 325.

29. Juan Goytisolo, «Examen de conciencia», en *El furgón de cola*, pág. 167.

30. *Ibid.*, «La actualidad de Larra», pág. 14.

31. Esta reproducción casi exacta de algunos pasajes narrativos ha sido certeramente explicada por Nora. Según este crítico, existe una desproporción entre las experiencias vividas por Goytisolo y su enorme poder de fabulación. Dice Nora que «esta capacidad imaginativa es grande en Goytisolo; sus vivencias parecen, por el contrario, insuficientes: de ahí que se reiteren (hasta el extremo de que hay ambientes, tipos y situaciones que reaparecen, apenas modificados, en sus libros), y que, desbordadas por la imaginación, no siempre lleguen a conferir a la obra ese marchamo de verdad y autenticidad que definitivamente la valora e impone» (pág. 318). Cabe aclarar

que este juicio se aplicaba a las novelas anteriores a *Señas de identidad* (1966), y que a partir de este momento Goytisolo se revela totalmente dueño de un asombroso instrumental técnico y lingüístico. No obstante, todavía en sus novelas más recientes hay reminiscencias de personajes y de situaciones anteriores.

32. «Examen de conciencia», en *El furgón de cola*, pág. 178.

33. Pablo Gil Casado, *La novela social española* (Barcelona: Seix Barral, 1968), página 177.

34. Esta técnica de contrastes es muy parecida a la que proponen Lukács y Eisenstein. Para una exposición más amplia sobre las teorías del montaje de Eisenstein aplicadas a Goytisolo véase el capítulo V de este estudio.

35. Martínez Cachero, pág. 148.

CAPÍTULO IV

EL PERIODO OBJETIVO

El período de más objetividad[1] en la producción literaria de Juan Goytisolo comienza en 1960 con la publicación
de *Para vivir aquí* y *Campos de Níjar*. La primera de estas
obras es una colección de cuentos escritos en París entre los
años 1957 y 1958.[2] En estos relatos Goytisolo ofrece una pintura bastante poética de prostitutas, soldados, estudiantes,
pescadores, amantes y turistas en sus respectivos ambientes.
El argumento es prácticamente inexistente, de manera que
las narraciones, a veces crudas y descarnadas, se resumen a
una presentación de detalles e incidentes sin importancia.
En esto, dice Schwartz, los relatos de la colección nos hacen
recordar muchas de las obras de Azorín, quien hacía evocar
ambientes y personajes españoles mediante la acumulación
de detalles insignificantes y cotidianos.[3]

En *Cara y cruz,* uno de los relatos de esta colección, el
autor emplea de nuevo el elemento religioso como fondo a la
narración. El Congreso Eucarístico llena con sus mensajes e
insignias al pueblo entero, inclusive, hasta llega a dejarse
sentir en el burdel del lugar. Este es el elemento que presta
motivación y cuerpo a la narración ya que, por razones claras, es necesario cerrar temporalmente el lugar y trasladar a
las prostitutas a otros predios.

Dos jóvenes lugareños acuerdan ir tras las pobres mujeres que, cansadas y hambrientas, se rinden fácilmente a
los avances de los dos amigos. Los jóvenes deciden llevarlas

a la oficina del padre de uno de ellos, y allí, entre copas y chistes, pasan el tiempo alabando la certera decisión del Congreso por haber escogido ese lugar.

En *Suburbios* nos encontramos ante unos adolescentes —muy parecidos a los gamberros de *Juegos de manos*— quienes, utilizando un lenguaje bastante chocante, nos cuentan sus aventuras sexuales con varios tipos de mujeres. La historia presenta una estructura fragmentada y sirve para dar a Goytisolo la oportunidad de presentar un diálogo realista sobre el sexo entre dos desagradables jóvenes. [4]

Otoño, en el puerto, cuando llovizna presenta un amplio retablo de personajes que pueden hallarse en cualquier puerto de mar. Estos individuos, pescadores, buzos, estibadores, estudiantes y otros, aparecen dentro de sus ambientes propios. Un joven estudiante traba amistad con Raimundo, uno de los personajes del puerto, de quien aprende mucho sobre la vida marítima. Tiempo después, radicado en París y analizando retrospectivamente parte de su vida, el joven se da cuenta que sus experiencias con Raimundo fueron las que aportaron los únicos momentos de verdadera satisfacción y sentido a su existencia.

En *El viaje* Goytisolo continúa con la carencia anecdótica y la estructura fragmentaria. La narración nos pone en contacto con el viaje de una pareja barcelonesa a un pequeño pueblo español. Goytisolo presenta objetivamente —esto es, sin inmiscuirse en la narración— los problemas eternos de España: la emigración de trabajadores españoles a otros países, la prostitución y la hipocresía religiosa. El punto culminante de la narración lo encontramos cuando los habitantes del pueblo autorizan convertir un circo arruinado en el burdel local. El cura, que al principio se opone enérgicamente a tal idea, termina aceptando el hecho y celebrando una misa.

En *La ronda* una pareja recuerda su visita a Cartagena y los abusos a que fue sometido Macanas, un bailarín callejero, por un grupo de soldados.

El mundo criminal es el fondo narrativo de *La guardia*. En este relato Goytisolo nos presenta a los distintos criminales de una prisión a donde ha sido trasladado un nuevo sargento.

En *Los amigos* Goytisolo recurre al tema del patriotismo revolucionario. Aquí estamos ante un grupo de estudiantes universitarios participantes de una protesta política. Los amigos se reúnen en un café y allí se mofan del gobierno y sus instituciones.

Aquí abajo es el cuento más largo de la colección y fue dedicado por el autor a su hermano Luis. El argumento es prácticamente inexistente y el autor «makes constant use of description to slow time, as well as references to time, to create a feeling of 'déjà vu'». [5] El narrador regresa de un viaje de dos años por Francia y, al reunirse con Emiliano —su amigo de niñez y juventud— se da cuenta que éste ha cambiado mucho. Emiliano se ha lanzado a la lucha clandestina contra el régimen y pide a su amigo que se le una. Este se niega y decide cumplir sus seis meses en el servicio militar obligatorio. Durante este período participa en borracheras, se une a prostitutas y crea una relación ilícita con una mujer casada. Cuando se entera que su amigo Emiliano ha caído prisionero, se decide a rehacer su vida. Se dedica a enseñar a los soldados analfabetos y, al final de la narración, observamos que se ha operado en él un cambio con respecto al compromiso social.

Los relatos de esta colección reflejan una actitud comprometida, y amargamente pesimista, en lo referente al problema social. El propósito del autor es presentar lo monótono y vacío de la vida de sus personajes debido a la falta de ideales y sistemas de valores orientados a lo social. Aunque la intención del autor aparece sutilmente en las situaciones que plantea, la técnica narrativa que emplea es la objetivista, la del realismo fotográfico.

Campos de Níjar, publicado también en 1960, es un libro de viajes donde el autor describe uno de sus viajes a una pobre zona de España donde la gente vive en condiciones primitivas. Nos introduce en caseríos donde las gentes comienzan a trabajar a los siete años y, debido a la falta de asistencia médica, mueren en plena juventud. [7] Pablo Gil Casado ha dicho que este libro «es el primer relato de intención plenamente testimonial, a partir del cual el género queda completamente establecido en todos sus aspectos».[8] En esta narración, escrita en primera persona, el autor combina descripciones del ambiente con trozos dialogados en los que presenta el habla y la personalidad de los habitantes de la región. Así comprobamos, a través de la técnica objetiva que utiliza el autor, los problemas, actitudes, ambiciones, ilusiones y hasta los defectos de las gentes de Níjar. A pesar del objetivismo de la narración, Goytisolo no puede rechazar su propio temperamento poético y, junto al lirismo de muchas descripciones, encontramos también una técnica marcadamente impresionista.

El pesimismo que notamos en otras narraciones también aparece en *Campos de Níjar*. Este pesimismo se refleja en el pueblo y se traduce en aceptar la vida con todos sus inconvenientes. Uno de los personajes dice: «Dicen que el mundo cambia y pronto llegaremos a la luna pero, pá nosotros, tós los días son iguales».[9]

En *La Chanca*,[10] publicada en 1962, encontramos numerosas descripciones de los barrios pobres de Almería. La narración es una continuación de *Campos de Níjar*, y el contenido puede sintetizarse diciendo que «es un meritísimo testimonio de ciertas parcelas de la realidad española, a las que el escritor, de forma objetiva y con claro compromiso con los seres de su pueblo que 'sufren la historia' —como decía Camus—, se ha acercado con una actitud realmente encomiable».[11] La narración comienza cuando Goytisolo va a La Chanca en busca de Antonio Roa, el pariente de un amigo. Al llegar a casa de Roa le dicen que éste ha sido arrestado. A través de los familiares y amigos de Antonio el autor llega a empaparse con el pobre ambiente del barrio. En el relato se describe la pobreza, el hambre, la falta de atención médica y las enfermedades que sufren los habitantes de La Chanca. Al final, «the author comes to the conclusion that Almeria is not a Spanish province but rather a Spanish possesion occupied militarily by the Civil Guard, and whose citizens are neglecter and discriminated against».[12]

En *Fin de fiesta*[13] Goytisolo presenta cuatro historias diferentes tituladas «Primera», «Segunda», «Tercera» y «Cuarta», bajo el subtítulo de «tentativas de interpretación de una historia amorosa». Los cuatro relatos del libro están «unidos por un común denominador de sexo y problemas amorosos». [14] La intención objetiva de Goytisolo se manifiesta, al igual que en *Para vivir aquí,* en el amplio uso del diálogo y en que «cada una de las cuatro historias... es contada por alguno de sus protagonistas». [15]

En la primera un joven estudiante cuenta la crisis emocional que sufre una pareja de escandinavos en una aldea de la costa de Málaga. En la segunda es el marido el que narra, dando solamente cuenta de los hechos, los cambios que en su vida personal provoca la relación con una joven, de ciertas inclinaciones lesbianas, que se ha enamorado de él, pero que también se siente atraída por su esposa. En la tercera, la mujer es la que presenta la inseguridad que sufre su marido debido a las pasadas infidelidades de ella. En la cuarta, es un amigo del matrimonio el que narra las infidelidades y crisis de ambos cónyuges.

En las cuatro narraciones «la situación es la misma, una mujer en las que se insertan, atraídas por la situación misma, terceras personas que le dan forma de hecho». [16] En cada una de las cuatro historias el problema que se presenta, sin variar de naturaleza, materializa a su alrededor cuatro paisajes y cuatro ambientes distintos en los que resalta la presentación objetiva de los hechos que se narran.

Pueblo en marcha es una apología a la revolución cubana. El autor presenta los sucesos, tipos y personajes que encontró en Cuba durante los dos meses y medio que estuvo en ese país.

En las primeras páginas de la narración Goytisolo se presenta a sí mismo y narra algunos pasajes de su niñez y adolescencia. Su familia pertenecía a la clase privilegiada barcelonesa y su abuelo se había enriquecido en Cuba. A través de viejas fotos, cartas y otros recuerdos familiares, Goytisolo va recordando cómo despertó en él el deseo de viajar a Cuba. [17] Al principio pensaba en esa isla con espíritu romántico y aventurero pero, una vez en la universidad, comenzó paulatinamente a interesarse en el aspecto de justicia social

81

y en las posibles implicaciones de su familia en la explotación de los cubanos.

La revolución cubana vuelve a despertar en Goytisolo el interés en Cuba como medio de encontrar un verdadero credo político. Con el triunfo de Castro, Goytisolo decide marchar a Cuba donde, aparentemente, encuentra un sistema de valores:

> Gracias a la Revolución, Cuba había irrumpido una vez más en la esfera de mis preocupaciones más urgentes y, a medida que colmaba mi anterior vacío con su estímulo, y sustituía mi desánimo con su esperanza, su presencia me resultó indispensable... La antorcha revolucionaria estaba ahora en manos de Cuba y, por una hermosa lección de la historia, ya no era España quien indicaba el camino a la ex colonia, sino la ex colonia quien daba el ejemplo y alumbraba los corazones, nos ilustraba y nos precedía. Defender a Cuba era defender a España, como un cuarto de siglo atrás morir en España fue morir por Cuba. [18]

En el libro Goytisolo presenta los principales acontecimientos y personajes relacionados con su viaje, aunque el verdadero cuerpo de la narración se circunscribe a las tres últimas semanas de su recorrido por la provincia de Oriente, en especial, a sus recuerdos de Manzanillo, ciudad que más le impresionó:

> Manzanillo parecía reponerse del cansancio del día, y por sus calles circulaba un río de gente que salía del trabajo e invadía los soportales y aceras. Su aspecto —medio africano, medio colonial— me recordó el de algunas capitales andaluzas en las que la influencia árabe se mantiene viva al cabo de los siglos y, al desembocar en el parque, con su quiosco decimonónico, su iglesia blanca y la tertulia de jugadores de dominó en los portales del vetusto Círculo, me creí transportado de pronto a una ciudad española, como si mi niñez se hubiera desenvuelto allí y la población entera, con sus casas y moradores, hubiese habitado desde siempre las leyendas y sueños que componen la mitología personal de mi infancia. [19]

El libro consta de tres partes: la presentación autobiográfica del autor y su llegada a La Habana; sus impresiones sobre Manzanillo y sus habitantes —parte que funciona como cuerpo de la obra—; y su regreso a La Habana en el mes de diciembre de 1961.

En Manzanillo Goytisolo se mezcla con el pueblo, especialmente con los campesinos y pescadores. De ellos aprende cómo era Cuba antes de Fidel Castro, y reproduce, acercándose lo más posible al habla típicamente cubana, los diálogos que sostiene con estos individuos.

De vez en cuando el autor se siente impulsado a la descripción poética y casi impresionista de la naturaleza. La importancia que Goytisolo da a los efectos de luz y al cromatismo de sus descripciones produce en el lector el efecto de estar ante la reproducción pictórica de un paisaje:

> Pasado Bayamo tuve la impresión de que el paisaje cambiaba un tanto. El sol estaba a punto de tramontar y la luz respetaba la variedad de los colores. El corojo, el yarey y la caña barajaban sus verdes diferentes. Los contrafuertes de la Sierra Maestra adquirían una transparencia casi azul y hacia el Cauto, el llano se tendía uniforme y liso, salpicado a intervalos por el techo de guano de un bohío o la graciosa silueta de una palma real. [20]

La narración presenta una estructura fragmentaria, siendo el propio autor quien hilvana los acontecimientos que narra. Su relato resulta enormemente monótono debido a la parcialidad del punto de vista y a la insistencia en el tema revolucionario. Resulta evidente que Goytisolo no puede negar la subjetividad de su narración, aunque presente los acontecimientos empleando el método objetivo. Kessel Schwartz ha dicho, con toda razón, que *Pueblo en marcha* «is Goytisolo's most propagandistic judgement from time to time». [21] La obra, además de propagandística, raya en lo melodramático debido al tono altisonante con que el autor expresa su identificación e interés por la causa cubana. «Al defender su Revolución —dice Goytisolo en la última frase del libro—, los cubanos nos defienden a nosotros. Si deben morir, muramos también con ellos». [22]

La isla [23] es la única novela del período objetivo. En esta obra Goytisolo presenta, una vez más, lo que él cree encontrar en la realidad de la España actual: el vacío espiritual y moral de la burguesía. Los sucesos que integran la acción de la obra tienen lugar en Torremolinos, en un término de once días, y presentan las relaciones entre los miembros de un grupo de veraneantes integrado por españoles de la alta clase media, y por turistas extranjeros de la misma categoría social. La novela, en sí, carece de un argumento tradicional con principio, desarrollo, y desenlace; más bien consiste en los recuerdos que tiene Claudia Estrada de los sucesos acaecidos durante su estancia en Torremolinos.

Apuntando hacia una apariencia de realismo objetivista, Goytisolo se ausenta de la novela dejando a Claudia el papel de narradora. Ella es el aparato objetivo que presenta a todos los otros personajes y que nos permite observar sus acciones y presenciar sus diálogos. De vez en cuando Claudia expresa un juicio personal sobre alguna de sus amistades, pero la mayoría de las veces deja al lector la tarea de juzgar a los tipos que presenta.

Los personajes que integran la narración representan una parte de la sociedad burguesa española en la que también encontramos varios turistas adinerados. Claudia y su esposo están al borde del divorcio, pero deciden guardar las apariencias para no perjudicar la carrera periodística de Rafael, el marido. Este tiene una amante francesa, a sabiendas de Claudia, que lo engaña con un millonario italiano. Claudia, por su parte, también es infiel a Rafael con un amigo suyo, Enrique, quien sufre el grave problema de ser impotente. Dolores es una famosa actriz dramática cuyo esposo, Román, un médico madrileño, la engaña cada vez que encuentra la ocasión. Dolores aparenta indiferencia hacia Román, pero en verdad está profundamente enamorada de él. Miguel, el esposo de Magda, hizo una fabulosa fortuna en Brasil, pero padece de algún desajuste emocional que lo hace llorar a ratos cuando cree estar solo. Su conducta denota un alto grado de infantilismo y falta de madurez. Gregorio es un *play-boy* que sólo se interesa en comer, beber y perseguir mujeres. Su amante de turno, Miss Bentley, es una joven americana rica que había ido a España para aprender baile flamenco. Celia, la esposa de Gregorio, se cansa de las infelidades de éste y lo abandona por un patán. Laura es una amiga del grupo, amante a ratos de Román, despreciada por todas sus amigas porque «cuando una mujer se acuesta con cuarenta hombres, no tiene necesidad de campanearlo» (pág. 38). Ellen y Gerald forman una pareja de turistas norteamericanos que representan la cumbre del alcoholismo y la promiscuidad sexual. Así, en una escena de la obra, Ellen dice: «Ayer me acosté con Chicho... Esta mañana Gerald nos ha encontrado en la cama y por poco se parten de risa. Los dos andaban borrachos y acabaron chateando en el Quintapena» (pág. 90).

Al leer el recuento que hace Claudia de sus vacaciones en Torremolinos podemos observar una repetición monótona de los mismos diálogos y situaciones. Nos encontramos, pues, ante una narración aburrida, hueca y sin profundidad «en la que unas veces los conflictos son demasiado obvios (la impotencia del amante de Claudia, la relación de Dolores con su marido), y otras demasiado gratuitas (la tristeza de Miguel)».[24] En esta obra Goytisolo intenta pintar objetivamente la vacuidad y la falta de sentido, de propósito y de comunicación en las vidas de estos burgueses. Se trata, pues, de un problema de orden universal presentado en función de una reducida parcela de la sociedad española. Los personajes de esta narración viven en una verdadera isla espiritual, unidos solamente por el afán de exteriorizar las angustias y frustraciones mediante la búsqueda del placer. Estos seguidores ociosos y hedonistas de la *dolce vita* existen nada más que para alimentar su propio egoísmo. Hablan de los pobres y los menos afortunados, pero no hacen nada por ayudarlos mientras se dedican a pensar en sus propios intereses y diversiones. Claudia se preocupa más por la llegada de la revista *Dígame* que por cualquier otro ser humano.

En realidad la vida no resulta de ningún modo dulce para este grupo de individuos puesto que ninguno de ellos es verdaderamente feliz. Rafael resume sucintamente el ambiente en que todos se mueven: «...Se ha convertido en un país aparte, en una verdadera isla... Los maridos engañan a las mujeres. Las mujeres engañan a los maridos... La virginidad ha desaparecido del mapa y todos los hombres son maricas» (pág. 14). Ni aun el contacto sexual satisface a estos seres ya que, para ellos, hacer el amor se reduce a un acto físico y egoísta, carente de valor afectivo. Ni siquiera los que parecen quererse con sinceridad —Claudia y su amante En-

85

rique— llegan a sacar placer del sexo debido a la enorme frustración que en ambos produce la impotencia de Enrique.

La falta de comunicación, de idealismo y de interés en el prójimo es lo que va minando poco a poco la relación entre Claudia y Rafael. Al recordar los años de la guerra y la actitud que ella y Rafael tenían entonces, Claudia dice: «Mientras duró la guerra... estuvimos dispuestos a morir por un ideal. Vivíamos en un universo de valores morales y, servía de forja a nuestro heroísmo» (pág. 54). Después de la guerra tanto el uno como el otro fueron perdiendo paulatinamente sus ideales y ambiciones. El amor que ambos sentían «se había reducido a una monótona sucesión de gestos y tentativas fracasados» (pág. 55) hasta que, por fin, llegó el rompimiento final entre ellos. Las ilusiones y el idealismo de los años anteriores fueron suplantados por el egoísmo del presente, llegando a una posición en que podían considerarse socialmente ricos pero emocionalmente pobres. Así, Claudia dice: «Las ilusiones se habían disuelto y había aumentado nuestra farmacia» (pág. 55).

Con respecto a la temática de la obra, además del tema sexual, observamos que Goytisolo vuelve a tratar el problema del turismo. La nociva influencia extranjera que el autor cree ver en España se traduce en varios pasajes de la novela. Así, vemos la amoralidad que existe en la relación de Ellen y Gerald, y las descripciones, casi siempre negativas, del ambiente en las tascas: «Más lejos predominaba el elemento extranjero: americanos bebidos, suecas ninfómanas, pederastas de mirada aterciopelada y fija (pág. 33). También en los diálogos se notan los efectos del turismo sobre las gentes del pueblo. Durante una conversación entre Claudia y un taxista, el hombre dice: «Las extranjeras nos tienen mal acostumbrados —dijo, después de una pausa—. Vienen aquí únicamente para esto y uno se toma confianza y, a veces, se equivoca» (pág. 11). Por otra parte, los obreros desatienden sus trabajos para dedicarse a otros oficios, moralmente más degradantes, pero económicamente más lucrativos: «los pescadores ya no pescan, las alemanas se desviven por ellos y, al final de la temporada, los ves por el pueblo en moto, con traje azul marino y gabardina cruzada» (pág. 24).

La influencia extranjera también se nota en la pérdida de identidad que sufren los españoles al tratar de imitar las costumbres norteamericanas, o mejor dicho, lo que Goytisolo cree que son esas costumbres. Esto podemos observarlo claramente en la crisis que Gregorio sufre cuando su esposa lo abandona por un jovenzuelo. Gregorio, lleno de furor, va a casa de Claudia para contarle su problema y su decisión de desafiar al chico. Claudia le responde muy calmadamente: «Gregorio, tú me decepcionas.... Me había forjado una idea distinta de ti. La idea de un hombre libre, evolucionado, sin falsos escrúplos, en una palabra, moderno, y veo que me he equivocado... Eso os pasa por tontos. Queréis imitar a los americanos y los imitáis muy mal. Para vivir como ellos, uno ha de estar muy baqueteado, ha de saber llevar los cuernos con gracia... Los españoles os buscáis una amiguita, bebéis un poco de uisqui e imagináis que sois como ellos, y no señor» (pág. 124). En este pasaje, y en los anteriores, podemos observar la falta de verosimilitud con respecto a la imagen que se presenta de los extranjeros, en especial de los norteamericanos. En este caso no podemos sino coincidir con Eugenio de Nora cuando dice que la capacidad imaginativa de Goytisolo es muy superior a sus vivencias y experiencias personales. [25]

En estos fragmentos Goytisolo trata de presentar un aspecto de lo que él cree que es la realidad española actual. Su intención no deja lugar a dudas cuando comparamos estos pasajes con las ideas que él mismo expone en uno de sus artículos de *El furgón de cola*: «El turismo —con todas sus secuelas— se ha convertido en un fenómeno de importancia nacional. Si pretendemos hacer la crónica de la vida española de los últimos años debemos de tener en cuenta su efecto, a la vez progresivo y corruptor, no sólo respecto a la burguesía sino también en relación al pueblo». [26]

La actitud de apatía hacia el pueblo y la poca profundidad con que los extranjeros analizan la cultura española, también están expuestos, al igual que en *La resaca*, de manera objetiva. Así, encontramos la siguiente conversación entre Miss Bentley y Claudia: «... lo único que deseo es que, en lo futuro, el alma de su pueblo no cambie... El de los Estados Unidos ha perdido la suya. Venir a España nos descansa tanto...

Hablaba dirigiéndose a mí y repuse secamente que los españoles pagaban muy caro este reposo. Estaba cansada de oír el mismo disco, los mismos desbarros y me levanté» (pág. 31). Una vez más podemos observar que tras la aparente objetividad del diálogo encontramos las ideas del autor y no las de los personajes. Goytisolo utiliza muchas de las situaciones y diálogos de la novela para exponer sus propios criterios. Un punto de vista semejante al expuesto por Claudia, y con una actitud muy parecida, es el que presenta Goytisolo en su ensayo «Examen de conciencia»: «El europeo busca en España el alma que ha perdido. Nuestra misión, dicen, es una misión espiritual... Cada vez que escucho este lenguaje tengo ganas de encañonar a mi interlocutor con un revólver y vaciar el cargador sobre él».[27]

A pesar de la objetividad de la obra, en lo que respecta al método narrativo ya hemos visto cómo Goytisolo vierte sus propias ideas en la narración, podemos encontrar dos escenas de marcado psicologismo. En la primera, Claudia —utilizando siempre el diálogo como marco objetivo— analiza las circunstancias que motivaron su apatía: «Siempre que me inclinaba sobre el pasado mi altruísmo me hacía reír... Cuando Rafael fue destinado a Madrid mi entusiasmo se había disuelto al mismo tiempo que mi amor por el prójimo y el idealismo de los años de la guerra se había mudado en horror de hacer favores, desprecio y egoísmo» (pág. 42). En la segunda escena otra vez Claudia, mediante el procedimiento de memoria involuntaria, recuerda la primera vez que le fue infiel a su marido. Este relato está intercalado en una escena cuando Claudia después de aceptar los avances de Román, rememora un episodio semejante ocurrido durante la guerra.

Hay también en la novela una especie de simbolismo alegórico que rompe la objetividad del método narrativo. En el transcurso de la narración, Claudia hace varias referencias a un gato que ronda, golosamente, la jaula de un canario. Este «leitmotif» aparece, repetidas veces, sin conexión alguna con la narración, hasta que al final de la novela la misma Claudia explica su significado. La escena es una de las últimas de la obra: Rafael, completamente borracho, trata de hacerle el amor a Claudia pero ésta lo rechaza enérgicamente y Rafael termina masturbándose. La escena representa el total rompimiento espiritual entre ambos seres, al mismo tiempo que sugiere la condición de víctimas de Claudia y Rafael ante un ambiente vacío e inauténtico donde los únicos valores estriban en el alcohol y en la promiscuidad sexual. Al final de la escena, Claudia recuerda: «La jaula del canario estaba volcada en medio de la sala y, al ir a recogerla —antes de salir al jardín— descubrí que el pájaro había desaparecido. El viento se colaba a ráfagas por la ventana entreabierta y, en la alfombra —como una condensación del horror del mundo— había un minúsculo montocillo de plumas» (pág. 167).

A pesar del significado marcadamente simbólico de esta escena y del psicologismo —tendencia que tanto ataca el autor en *Problemas de la novela*— que despliega Claudia al analizar sus relaciones matrimoniales, nos parece que Goytisolo ha conseguido seguir con bastante fidelidad sus preceptos objetivistas en lo que respecta al método narrativo. El autor se ausenta de la narración dejando que sea un personaje el que presente los hechos. Por otra parte, el reiterado uso del diálogo deja a los personajes amplias oportunidades para expresar sus juicios y puntos de vista sin que el autor o el narrador se inmiscuya a analizarlos. Dejemos por sentado, no obstante, que esta objetividad en el método narrativo es sólo aparencial ya que las ideas de Goytisolo aparecen en boca de sus personajes. De esta forma, Claudia, en algunos momentos, se convierte en portavoz del autor.

Con respecto al enfoque de la obra nos parece que Goytisolo se limita en exceso. Al tratar de presentar la burguesía española dentro de su ambiente propio, el autor se reduce a enfocar solamente una parte reducida de esa burguesía. Sartre, hablando sobre este punto, se ha referido a la insuficiencia e injusticia de la visión «dolcevitesca» en muchas narraciones: «Los personajes de 'La dolce vita' son gentes que nunca tienen nada que hacer y que, si algo hacen, son siempre considerados fuera de su trabajo. Frecuento poco a los industriales y no tengo excesiva simpatía por su ambiente, pero me doy cuenta que también, respecto a ellos, es preciso recordar que trabajan en sus fábricas y que pertenecen al mundo de las responsabilidades. Hay, por tanto, que verlos y juzgarlos en su trabajo». [28]

La aclaración de Sartre nos parece justa y muy certera. Desde este punto de vista no podemos sino coincidir con Marra-López cuando, al hablar de *La isla,* dice: «Goytisolo, que desde un principio se ha propuesto mostrarnos la realidad española, refleja tan sólo una pequeña parcela del país. Su dedicación es legítima, repito, e incluso necesaria, pero desde un punto de vista narrativo y sociológico me parece insuficiente, y también peligrosa como tendencia». [29]

Por otra parte, el método narrativo que Goytisolo utiliza en esta novela carece de la profundidad y penetración que encontramos en otras narraciones de los objetivistas americanos e italianos. Además, falta aquí «la capacidad de hacernos intuir la verdadera índole de la acción, mediante una precisa selección de los gestos y actitudes que revelan sin destruirlo el sentido oculto de los datos que forman la realidad». [30]

Nos encontramos, pues, ante una narración en la que sólo observamos una acumulación de acciones exteriores a través de las cuales el autor no ha sabido calar en los personajes ni en el ambiente que presenta. La única caracterización que llega a lograrse con más o menos éxito es la de Claudia, y a nuestro entender esto ocurre debido al análisis psicológico que, en dos ocasiones, ella misma hace sobre su vida. Goytisolo no es un escritor objetivista por naturaleza. Prueba fehaciente es *La isla,* su mejor novela en lo que se refiere a la presentación del método objetivo y, en nuestra opinión, tomando la obra en todos sus valores, la peor novela de su carrera literaria.

NOTAS

1. José María Martínez Cachero bautiza este período con el nombre de «realismo crítico». «El novelista Juan Goytisolo», *Papeles de Son Armadans,* XXXII, núm. 95 (febrero, 1964), 154.

2. *Para vivir aquí:* Sur, Buenos Aires.

3. Kessel Schwartz, introducción a su edición de *Fiestas* (New York: Dell, 1964), pág. 17.

4. ———, *Juan Goytisolo* (New York: Twayne, 1970), pág. 112.

5. *Ibid.,* pág. 114.

6. Barcelona, 1960

7. Schwartz, *Fiestas*, pág. 17.

8. Pablo Gil Casado, *La novela social española* (Barcelona: Seix Barral, 1968), pág. 8. Este crítico analiza *Campos de Níjar* partiendo de los cinco elementos que, según él, deben encontrarse en todo libro de viajes: 1) recorrido de la región; 2) propósito testimonial e intención crítica social; 3) veracidad y realismo precisa; 4) pintoresquismo; 5) estilo basado en un realismo objetivo. Ver, págs. 228-238.

9. *Campos de Níjar*, pág. 41.

10. París, 1962.

11. José Marra López. «Tres nuevos libros de Juan Goytisolo», *Insula*, XVII, núm. 193 (1962), 4.

12. Schwartz, *Fiestas*, pág. 20.

13. Barcelona, 1962.

14. Marra López, pág. 14.

15. Martínez Cachero, pág. 156. El uso de la narración en primera persona difícilmente llega al objetivismo puro porque todo se presenta a través de un personaje. Así, el lector tiene que aceptar un punto de vista sin poder juzgar el testimonio de lo que se presenta desde una perspectiva más amplia.

16. Introducción editorial a la impresión de Barcelona, 1962.

17. Al comparar estas primeras páginas de *Pueblo en marcha* con las de *Señas de identidad* no podemos dejar de observar el carácter autobiográfico de esta última. Alvaro, el protagonista de *Señas de identidad*, se expresa de la misma forma que Goytisolo y también utiliza cartas y viejas fotos de familia para ir reconstruyendo los recuerdos de su niñez.

18. *Pueblo en marcha* (Montevideo, 1969), pág. 14. En esta edición Goytisolo incluye un glosario sobre el léxico cubano. Además, como apéndice, reproduce su artículo «Lenguaje, realidad ideal y realidad efectiva» que también aparece compilado en su libro *El furgón de cola*.

19. *Ibid.*, pág. 18.

20. *Ibid.*, pág. 17.

21. Schwartz, *Juan Goytisolo*, pág. 127.

22. *Pueblo en marcha*, pág. 84.

23. Barcelona: Seix Barral, 1961. Citaré de esta edición indicando los números de las páginas, entre paréntesis, en el texto.

24. Juan García Ponce, «Los libros abiertos», *Revista de la Universidad de Méjico*, XVI, núm. 4 (diciembre, 1961), 31.

25. Eugenio G. de Nora, *La novela española contemporánea*, II (Madrid: Gredos, 1958), 318.

26. «Examen de conciencia», págs. 166-185, en *El furgón de cola* (París: Ruedo Ibérico, 1967), pág. 175.

27. *Ibid.*, pág. 180.

28. Citado por Martínez Cachero, pág. 157.

29. Marra López, pág. 4.

30. García Ponce, pág. 31.

91

Capítulo V

LA TRILOGIA DEL DESTIERRO

Con la publicación de *Señas de identidad* (1966), Goytisolo abre una nueva etapa en su carrera literaria que se extiende en una trilogía continuada en *Reivindicación del Conde don Julián* (1970) y culminada en *Juan sin tierra* (1975). Nos aventuramos a sugerir el título «trilogía del destierro» porque el concepto de alienación, tanto física como espiritual, es una constante en las tres novelas.

«*Señas de identidad*» es un «vasto cuadro nacional visto a través de la conciencia de Alvaro, último miembro de una pudiente familia burguesa catalana».[1] El protagonista reside permanentemente en París como fotógrafos de la France Press y, al principio de la narración, se encuentra en su finca de Barcelona donde se repone de un ataque cardíaco. El relato comienza una tarde de agosto de 1963 y termina tres días después. Durante ese tiempo Alvaro va reconstruyendo sucesos nacionales y personales —que van desde su nacimiento, en 1931, hasta 1963— mientras examina varios objetos que reviven su memoria.

Encontramos aquí una técnica muy parecida al procedimiento del recuerdo que utilizó Proust en *En busca del tiempo perdido*. No obstante, existe una gran diferencia entre Goytisolo y Proust, no tanto en la revivificación del recuerdo mediante una palabra o un objeto, sino en el fin a que va dirigido el uso de este procedimiento. Un crítico ha dicho que «lo que Proust se empeña más en hacernos ver no es el precio

e la memoria, sino el valor del olvido, como fórmula de
mbalsamamiento del pasado y como muralla de protección
para defender al recuerdo de la acción deformante de la me-
noria imaginativa».[2] En *Señas de identidad* el protagonista
voca el pasado con el propósito de llegar a conocerse a sí
ismo para poder hacer frente al futuro. Después que Alvaro
ecuerda escenas de su niñez mientras miraba unas viejas
otografías, el narrador dice: «Habías examinado el álbum
amiliar no con el propósito actual de recuperar el tiempo
perdido y hacer el balance de tus existencias... sino con la
speranza un tanto ilusoria de adivinar por medio de él las
oordenadas inciertas y problemáticas de tu singular porve-
ir...».[3]

Además del álbum de fotografías Alvaro se sirve de un
tlas para recordar los viajes y lugares que visitó solo, o en
ompañía de su amiga Dolores. A través de una serie de
biografías de emigrados españoles, evoca escenas de un fra-
asado documental que pensaba realizar sobre la clase obre-
a. Por otra parte, recuerdos de conversaciones sostenidas con
us amigos, Paco y Antonio, le ayudan a reconstruir sucesos
caecidos cuando él estaba ausente.

Vemos, pues, que «el núcleo de la obra no lo constituye
a acción sino la reflexión, la constante elaboración sobre la
onciencia del hombre español y sobre el significado de los
ños transcurridos desde la guerra».[4] Así, podemos observar
ue en *Señas de identidad,* según Sáinz, «se han rebasado las
imitaciones del objetivismo a que estaba sujeto Goytisolo
se han despertado nuevas reglas, una dinámica propia, en
a terminología de Carpentier, posible, nueva, disparada hacia
uevos ámbitos».[5] Es por esto que en la novela encontramos
na combinación entre «el elemento subjetivo y la crítica polí-
ica (igualmente dura con los vencedores de la guerra que
on los vencidos) y social, incluyendo a todos los estratos
e la sociedad... que se han resignado a una forma de vida
asiva».[6]

No obstante, a pesar de la enorme subjetividad de la no-
ela, observamos una cierta intención objetiva que el autor
rata de fundir al subjetivismo de la obra. Así, pues, esta
ovela, tanto en su estilística como en su temática, es la obra

más ambiciosa del autor «porque en ella se plantea conscientemente e intenta resolver el problema que le ha preocupado
siempre y afectado toda su obra: la distancia entre su yo y la
realidad externa, y por consecuencia, entre la subjetividad
estilística y la objetividad».[7] Este conflicto es el que trata de
solucionar Goytisolo mediante un desdoblamiento del prota
gonista. Alvaro, en una de las escenas en que dialoga con s
mismo, dice: «Tus esfuerzos de reconstitución y de síntesis
tropezaban con un grave obstáculo. Merced a los documentos
y pruebas... podías desempolvar de tu memoria sucesos e in
cidentes... que rescatados del olvido... permitían iluminar no
sólo tu biografía sino también facetas oscuras y reveladoras
de la vida en España (juntamente personales y colectivos
públicos y privados, conjugando de modo armonioso la bús
queda interior y el testimonio objetivo, la comprensión íntima
de ti mismo y el desenvolvimiento de la conciencia civil de
los Reinos Taifas)» (pág. 159).

Lo que el autor busca en *Señas de identidad* es presentar
una imagen completa de todos los aspectos de la realidad, des
de un punto de vista objetivo y subjetivo uniéndose así a las
nuevas corrientes de la novela actual. A este respecto André
Amorós ha dicho que «la novela contemporánea, en general
abandona la técnica del realismo minucioso, objetivo. No hay
que creer que esto suponga necesariamente desembocar en e
idealismo fantástico. Todo lo contrario. Lo que intenta la
novela es reflejar con más exactitud la auténtica realidad
que no está hecha sólo de cosas y acciones exteriores».[8]

Esta novela iba a publicarse llevando como título un verso
de Luis Cernuda, «Mejor la destrucción, el fuego», pero debi
do al gran número de obras con títulos semejantes el auto
se vio obligado a cambiarlo. Como bien explica Goytisolo
«*Señas de identidad* es un título más neutro que el anterior
menos apasionado, pero refleja mejor las coordenadas de
identidad del personaje de Alvaro, sus coordenadas persona
les, familiares, las de su medio social y hasta las más externa
de la sociedad española de su tiempo y de la moderna socie
dad industrial».[9]

Vemos, pues, que el título de la obra se refiere tanto a la
identidad de Alvaro como a la identidad de España. Partiendo

le este punto de vista, Carlos Fuentes ha dicho que en esta novela «el autor nos conduce al punto en el que preguntarse Quién es Alvaro? es idéntico a preguntarse ¿Qué es España?» [10] De esto se infiere que en la novela existen dos protagonistas: Alvaro y España. Si por una parte observamos los elementos psicológicos que forman parte de la identidad de Alvaro; por la otra asistimos a un recuento de los factores sociológicos que forman parte de la identidad de la España actual. El autor se propone hacer desaparecer la equivocada imagen que los españoles tienen de su propio país. Al mismo tiempo, trata de presentar lo que él cree ser la verdadera visión de su patria. Al hablar sobre este punto Goytisolo dice: En mi novela me he propuesto una destrucción de todos los mitos que envuelven el término de España... En lo que respecta a España, el mito actual de España es falso de toda falsedad, y no me refiero solamente a 'l'image d'Epinal' que trata de ofrecer el régimen, sino también a la imagen de España que presenta lo que se puede llamar la oposición de los republicanos, del bando que perdió la guerra. En los dos casos hay una mitificación de España y es este doble mito lo que he intentado destruir». [11] Este propósito se manifiesta claramente en el capítulo quinto cuando el autor nos introduce al grupo de exilados españoles que se reunía en el café de Madame Berger en París. Estos individuos, republicanos en su mayoría, se lanzaron al exilio voluntario en tres épocas distintas formando así tres capas o estratos dentro del exilio español. El primer grupo fue creado por los veteranos de la guerra civil; el segundo, por los emigrados de los años cuarenta; y el tercero, por los estudiantes que, debido a su manifestaciones contra el régimen durante los años cincuenta, tuvieron que marcharse a Francia. Las insidias y el absurdo nacionalismo de los distintos grupos están admirablemente expuestos en el siguiente pasaje: «Tales estratos armónicamente superpuestos tenían no obstante, pese a las naturales rencillas derivadas de su distinta posición en el escalafón histórico y su riquísima variedad de opiniones políticas, un único e inagotable tema de conversación común, España, cuyas enfermedades y eventuales remedios creían conocer los contertulios en proporción directa al número de años de su exilio» (pág. 248). El recuerdo de las conversaciones y veladas en el Café Berger lleva a Alvaro a concluir: «Los españoles lleva mos el egocentrismo, la envidia y la mala leche en la sangre; si la sociedad española es intolerante, se debe ante todo a hecho de que hay un maniqueo oculto en el corazón de cada español» (pág. 283).

Desde el punto de vista subjetivo, el tiempo es un factor importantísimo en la novela. Este elemento, aunque combina do magistralmente en secuencias del pasado, presente y fu turo, puede dividirse en dos tipos: el subjetivo, que pasa dentro de la mente del personaje; y el objetivo, o el que demora Alvaro en su recorrido evocador. Como ya hemos dicho, el tiempo objetivo abarca tres días mientras que el subjetivo ocupa desde los años de la República hasta el pre sente. Este período corresponde al nacimiento de Alvaro en el seno de una familia burguesa, a su infancia, a los años de la guerra, a sus años universitarios, a sus primeros viajes al ex tranjero, a su regreso a España y a las descripciones del am biente que encuentra. Al mismo tiempo, intercalados entre sus experiencias personales, Alvaro también recuerda una se rie de eventos socio-históricos que datan desde los sangrien tos sucesos de Yeste, en 1936, hasta la comercialización tu rística del presente.

Con respecto a la estructura de la obra, podemos deci que encontramos un predominio de acciones paralelas o yux tapuestas que no obedecen a ningún orden cronológico. A referirse a este punto, Goytisolo ha dicho: «He intentado evi tar en lo posible lo que se suele llamar la progresión dramá tica. Cada capítulo tiene su propia estructura, su propia uni dad: es como una especie de capa geológica dentro de esta señas de identidad que integran la estructura de Alvaro y d la realidad que rodea a Alvaro».[12] Así, pues, en lugar de er contrarnos frente a una progresión lineal, en secuencias cro nológicas, hallamos una superposición de acciones y plano temporales. Junto a esta fragmentación temporal tambié observamos una fragmentación geográfica ya que las escena evocadas por Alvaro nos llevan, en distintos momentos de tiempo, a países de Europa y América.

En el punto de vista narrativo se hace evidente la inter

ción del autor de combinar lo objetivo y lo subjetivo. La novela está narrada en las tres personas del singular y en la primera del plural, en una forma que Goytisolo llama «de novela abierta, en contrapartida con la novela cerrada que sistematiza una técnica, siempre la misma».[13] El personaje de Alvaro, según el autor, «necesitaba un tratamiento doble: a) objetivado en tercera persona, y b) en segunda persona que permite una complicidad y un acercamiento al personaje; en tanto que en tercera persona está dosificado, en segunda, el relato es casi una invocación».[14] O sea, en Alvaro observamos una especie de monólogo interior que presenta al personaje desdoblado; esto es en diálogo con sí mismo. Goytisolo confiesa que al comenzar su novela no se dio cuenta de las enormes posibilidades que le ofrecía este tratamiento en segunda persona. Al principio intentó presentar al personaje en tercera persona, visto desde fuera; y en primera persona, visto desde dentro. En cierto momento de la narración comprendió que era necesario «emplear la segunda persona en vez de la primera porque hay en Alvaro una especie de desdoblamiento, que hace que cuando monologa se hable a sí mismo como si fuera otro. Es decir, el tú corresponde más a ese desdoblamiento que el yo».[15] Este doble tratamiento del personaje sirve al autor para presentar el verdadero tema de la novela: el examen de conciencia que Alvaro lleva a cabo no sólo para sí mismo, sino también con el propósito de dar sentido a la España contemporánea. Así, vemos que la intención del autor respecto al tema es también ambiciosa. Se trata, pues, de encontrar las señas de identidad de un personaje y de un país mediante un concienzudo análisis del pasado y del presente.

Existe, en la forma de enfocar a Alvaro, una intención por parte del autor de combinar lo objetivo y lo subjetivo en un mismo personaje. A este respecto Goytisolo dice: «El hecho de emplear la segunda persona me permite cierta intervención, un mayor apasionamiento en mi relación con el personaje. Por el contrario, cuando lo describo en tercera persona trato de objetivarlo, de cosificarlo».[16] De aquí, inferimos que mucha de la crítica de Alvaro, dirigida contra sí mismo, puede considerarse como una autocrítica del mismo autor. El propio Goytisolo, al hablar sobre este punto, dice: «No podría criticar a los demás sin criticarme a mí mismo y a los intelectuales de mi generación. En este aspecto pensaba en *Marat-Sade* de Peter Weiss cuando Sade le dice a Marat que la revolución no soluciona los verdaderos problemas mientras no haya eliminado a fondo el animal o enemigo que hay dentro de nosotros, los que aspiramos a ser revolucionarios. Alvaro, mi personaje, se autocritica y a partir de su autocrítica luego condena todo». [18]

También podemos observar, intercalados en la narración, numerosos pasajes en primera persona del singular y en primera del plural. En el primer caso encontramos varias declaraciones de individuos entrevistados por Alvaro. Según Goytisolo, la primera persona que se emplea en estas narraciones sirve «como exponente del individualismo español, en contraposición a la primera persona del plural, representada por el diario de la policía y las voces o reencarnación de la buena conciencia burguesa: todo lo que significa orden, poder, fuerza, está dado en un 'nos' que es casi divino y bajo el cual los demás se debaten». [19]

Así, en medio de su examen de conciencia, el protagonista escucha constantemente las voces que representan la idiosincrasia del régimen español. El pesimismo de Alvaro, y por ende el de Goytisolo se manifiesta en la cantilena de las voces que lo fuerza a aceptar la retirada como única solución:

...reflexiona todavía estás a tiempo
nuestra firmeza es inconmovible ningún esfuerzo tuyo
*   lograría socavarla*
piedra somos y piedra permaneceremos
no te empecines más márchete fuera
mira hacia otros horizontes danos a todos la espalda
tu pasión fue error
repáralo
SALIDA
SORTIE
EXIT
AUSGANG (pág. 421).

Debemos hacer notar que el autor trata de producir una impresión total de realidad al suprimir la puntuación en los pasajes de las voces. Así, al penetrar en la mente de Alvaro, intenta presentarnos la forma exacta en que éste recuerda las voces oficiales. Por otra parte, «consigue alterar el ritmo narrativo y prestarse adecuadamente al tono de vacua retórica que pretende obtener». [20] Este procedimiento no es nada nuevo. Fue empleado por los escritores dadaístas, surrealistas y futuristas para lograr un efecto semejante al que busca Goytisolo.

En su afán de destruir los mitos de España el autor recurre a una técnica de contrastes irónicos —a la que ya nos hemos referido en el capítulo tercero— que puede asociarse con las ideas de Eisenstein sobre el montaje cinematográfico. A su vez, las teorías de Einstein sobre las correspondencias audiovisuales, el simbolismo de colores, el montaje y el contraste de ideas, evolucionaron directamente de las teorías y prácticas de los simbolistas e impresionistas. [21]

Los expertos en materia cinematográfica se han visto en graves aprietos al tratar de explicar con claridad los diversos tipos de montaje. [22] Para una explicación un tanto simplista del término, pero eficaz para el asunto que nos ocupa, nos referimos a la de Spottiswoode quien define el montaje, «in its effectual aspect, as the production of a concept or sensation through the mutual impact of other concepts or sensations; and in its structural aspect, as the juxtaposition of shots, series and sequences in such a way as to produce this impact». [23] Esta es la técnica que Goytisolo utiliza en *Señas de identidad* mediante el empleo de elementos contrastados. De esta forma, pretende comunicar una imagen irónica de la realidad española con vistas a destruir lo que él considera la visión parcial e inauténtica de la España contemporánea. El autor explica este punto de vista en uno de sus ensayos: «Si, por ejemplo, la emigración reciente de un millón y medio de españoles a los países industrializados de Europa Occidental es un episodio evidentemente dramático..., esta emigración, descrita con la fraseología oficial del Régimen o comparada, demos por caso, a aquella otra, de mercenarios y soldados por tierras de Alemania y Flandes..., nos sugiere un conjunto de reflexiones irónicas que son como el negativo fotográfico de una misma realidad compleja y única». [24]

En una escena de la novela Goytisolo describe a los obreros españoles con los mismos términos que utiliza la prensa oficial: «Herederos ilustres de los descubridores del Pacífico y expedicionarios del Orinoco, de los guerreros invictos de México y héroes del Alto Perú, partían a la conquista y redención de la pagana, virgen e inexplorada Europa recorriendo audazmente su vasta y misteriosa geografía sin arredrarse ante fronteras ni obstáculos». (pág. 238). El impacto irónico que busca Goytisolo se produce en la página siguiente cuando numera las conquistas de los emigrados: «Como en los tiempos que precedieron la caída del Imperio Romano, los nuevos y timados invasores se infiltraban en los países desarrollados del Mercado Común..., se adueñaban de las cocinas, roperos y despensas... e imponían por doquiera la paella y el aceite, la sopa de ajo y la sangría..., prodigioso esfuerzo de irradiación cultural para un país cuya renta per capita no alcanza aún la modesta cifra de veinte mil pesetas» (pág. 239).

Como vemos, Goytisolo utiliza una especie de «simbolismo ideológico» con el propósito de sugerir una nueva realidad mediante la contraposición de dos elementos dispares. Tratando de aclarar su intención en este pasaje, el autor ha dicho: «El episodio dramático del obrero que emigra a Francia está enfrentado a la ironía del cliché oficial que compara ese éxodo de trabajadores con el afán de conquista del Siglo de Oro. No sé si lo he logrado, pero he pretendido crear una superestructura alegórica detrás de cada hecho». [25]

Otro ejemplo de la técnica del montaje lo encontramos en un pasaje de la novela donde se superponen, narradas en presente, escenas de sucesos acaecidos en 1936 y 1958. La narración nos lleva al Yeste de 1936, a raíz de las masacres a que fueron sometidos los campesinos de ese lugar por los elementos nacionales: «Las detonaciones se suceden como el trepidar de una traca. Tres paisanos se refugian en una atarjea por la que apenas cabe el cuerpo de un hombre y los guardias bajan hasta la boca, matan a dos y hieren gravemente al tercero. En otra alcantarilla descubren a un campesino herido de dos balazos. A voces, el hombre suplica que le rema-

100

ten. Uno de los civiles le dispara dos veces, en el brazo y en la pierna. '¡Toma, toma!' grita. 'Así durarás más tiempo'» (página 145). Esta cruda escena por sí sola causa un gran impacto en el lector, pero yuxtapuesta a la que sigue produce un efecto mayor y más completo.

A través del recuerdo de Alvaro la narración nos lleva al Yeste de 1958, en el preciso instante en que el protagonista asistía a una corrida de toros: «Los golpes llueven sobre él sin perdonar sitio alguno: los cuernos, el testuz, el morrillo, el lomo, el vientre, los corvejones. La costumbre impide matarle de una estocada: hay que prolongar el juego hasta el límite, apurar su agonía hasta la hez» (pág. 147). Este es un ejemplo claro del tipo de montaje ideológico. Mediante la técnica del contraste se puede asociar dos imágenes distintas para producir el efecto deseado. Tanto el campesino como el toro son víctimas de la crueldad e injusticia del ambiente. El simbolismo que produce el contraste de ambos pasajes radica en el tono elíptico y sugestivo de la narración.

En *Señas de identidad* encontramos que Goytisolo se aparta de su anterior producción literaria para brindarnos una novela nueva y distinta. Desde el principio de la obra el autor comienza a experimentar con el lenguaje y con el método narrativo. La experimentación aumenta a medida que avanza la narración para terminar en el capítulo final «donde las distintas técnicas del libro eclosionan en una locura verbal arrebatadora».[26]

En este último capítulo el autor intenta transmitir la forma en que Alvaro percibe la realidad. Para lograr su propósito utiliza una prosa libre, sin puntuación ni conexión lógica. Entre los recuerdos de Alvaro aparecen interpolados retazos de conversaciones y de programas de radio que él escuchaba mientras leía, mecánicamente, la descripción de Barcelona en un folleto turístico: «Una náusea invencible te invadía... prendmoi une photo... ladies and gentlemen... será posible te decías que el final sea éste... BREVE HISTORIA DE NUESTRA CIUDAD sobre los restos de un poblado íbero... nada válido puede salir de ti ni del humano caldo en que vives ni de este triste tiempo... y el transistor emitía incansablemente con el rey Ataúlfo pasó a ser capital del Imperio Visigodo... todo ha sido inútil oh patria mi nacimiento entre los tuyos y el hondo amor que sin pedirlo tú durante años obstinadamente te he ofrendado» (págs. 417-420).

Al leer este capítulo tenemos la impresión de que Alvaro parece disolverse en el lenguaje de la obra y en el ambiente que lo rodea. En las últimas páginas de la novela Goytisolo alcanza la meta que postuló en los artículos de *El furgón de cola*: la creación de una nueva experiencia narrativa mediante la revolución del lenguaje. Goytisolo, consciente de su triunfo en *Señas de identidad,* indica la línea a seguir en sus próximas novelas: «Lo que escriba desde ahora será a partir de este estado de disolución del lenguaje al que he llegado como consecuencia del desarrollo de la novela. Quiero arrancar de lo que ha sido la conclusión de este libro. No quiero volver a escribir una novela con personajes o con acción dramática.» [27]

En la segunda novela de la trilogía, *Reivindicación del Conde don Julián* [28] Goytisolo cumple su propósito. La obra nos presenta a un personaje innominado y carente de identidad que habla, piensa, sueña, delira y percibe visiones fantásticas mientras, parado en el mirador de Tánger, observa la costa española. En el transcurso de la narración, el protagonista llega a identificarse con el Conde don Julián quien, según la leyenda, fue un gobernador visigodo traidor a su patria. Así, la novela carece de personajes y de progresión dramática. Todo en ella se resume en un lenguaje nuevo, polisémico y lleno de sugerencias en el que Goytisolo combina historia y leyenda, sueño y realidad, poesía y prosa, objetividad y subjetividad.

La narración comienza cuando el protagonista, en el que Goytisolo vuelca gran parte de sí mismo, empieza a despertarse en su habitación de Tánger mientras escucha los partes meteorológicos que da un locutor. El personaje se levanta, mira hacia la costa de España y comienza su ritual diario. Una vez vestido recoge de la cocina unos insectos muertos que deposita en una bolsa, sale, evita el encuentro con un pedigüeño profesional, da una limosna a una mendiga y entra a una especie de farmacia donde le hacen su habitual análisis serológico. El ambiente que allí encuentra (pomos, polvos, insectos disecados) le hace recordar las clases de Ciencias Naturales a que asistía cuando niño, y en su mente se suceden y contraponen las imágenes del pasado con las del presente. Su recorrido diario lo lleva a la biblioteca donde lee con desprecio las obras de los clásicos españoles y deposita entre las páginas de los libros los cadáveres quitinosos de los insectos que, para ese fin, había recogido en su bolsa.

Cumplida su misión simbólica, sale de la biblioteca y se dirige al Zoco Grande por donde deambula un rato. Se sienta en un café, rechaza el acercamiento de un periodista español, sale, se deja conducir a través de la ciudad por un niño-guía y presencia la actuación de un encantador de serpientes ante un grupo de turistas norteamericanos. Su mente divaga e imagina que la serpiente —reiterado símbolo fálico— muerde a una joven americana, versión turística de una Hija de la Revolución Americana. Más tarde entra en un cine, vuelve a sumirse en sus fantasías y asociaciones de ideas, sale y se encuentra con don Alvaro Peranzules, personaje carpetovetónico, proteico y recurrente en toda la obra. Don Alvaro le refiere las fabulosas cualidades de la eterna y españolísima Sierra de Gredos, de Séneca y de los excrementos de la venerable «cabra hispánica». Después del encuentro con don Alvaro nuestro personaje se dirige «hacia dentro, hacia dentro: en la atmósfera algodonosa y quieta, por los recovecos del urbano laberinto: como en la galería de espejos de una feria, sin encontrar la salida y con los papamoscas, en la acera, riendo a cada uno de tus tropiezos: ...hasta el café lleno de hombres, cálidamente aromado de efluvios de hierbabuena y de Kif» (pág. 89). En el café fuma hachich y, mientras se adormece, vienen a su mente instantáneas de su niñez y juventud, mezclándose, intercambiándose y hasta diluyéndose en el enorme poder sugestivo del lenguaje.

El personaje despierta pero, tal vez aún bajo el efecto de la droga, sufre una fantasía que podemos denominar «senequista» en la que el filósofo dialoga con él en distintos estilos. A la fantasía senequista sigue un fantasía «invasora» que permitirá al personaje, ya totalmente identificado con don Julián, invadir a España y destruir todos los mitos de su patria y el lenguaje que les ha dado vida.

Después de este delirio iconoclasta y destructivo el per-

103

sonaje se deja llevar por Tarik al mirador de Bab-el-Assa. El moro levanta los tejados de la urbe madrileña mostrándole la visión de la ciudad donde «en cafés, tertulias, cotarros y peñas los literatos mantienen viva la llama de la fulgente antorcha generacional» (pág. 149) y donde en otros «diversos puntos... niños y adolescentes aprenden con ahinco los principios de la filosofía estoica, los coros y jerarquías angélicas, las hazañas de Isabel la Católica, las virtudes de vuestro Sindicato Vertical» (pág. 149).

En otra divagación mental el personaje se adentra en las barbas de Tarik donde se topa a Séneca «acuchillado,... absorto ahora, en industria trabajosa y lenta, en expansión común e inferior» (pág. 153). El relato se diluye en fantasías y volvemos a encontrar al personaje en la biblioteca donde lee el decálogo del perfecto caballero cristiano. Interesado en tal lista de cualidades, sale a buscar al caballero. Al encontrar su casa y entrar en ésta es recibido por el dueño, don Alvaro Paranzules, esta vez figura de «figurón». El personaje, irónicamente, admirará, «en medio de la carpetovetónica fauna de figurillas, figuretes, figurones, su Figura impermeable y hermética, condensación sublimada y excelsa del genio y figura de la raza» (pág. 160). Mientras don Alvaro recita unos versos, el personaje se adentra en los aposentos de su hija, Isabel la Católica, quien, vestida de monja, permite que el personaje explore su vagina a modo de «instructiva excursión por las honduras, recovecos y escondrijos del Bastión Teológico: ...una de las curiosidades históricas más típicas y pasmosas de nuestro privilegiado paisaje peninsular» (pág. 166). La fantasía envuelve a don Alvaro quien, encarnado en miembro de la generación del 98, comienza a descomponerse en vida mientras una nube de insectos devora sus obras. Queda así eliminado el mito del paisaje castellano y la raza de hombres que lo originaron.

Una vez destruidas la flora y la fauna española, queda aún el lenguaje. El personaje, ya convertido en Julián, con sus huestes invasoras y el apoyo del indignado reproche de cubanos, argentinos y mejicanos que rehusan someterse a la imposición lingüística castellanizante, instiga a los «beduinos de pura sangre» a «desguarnecer el viejo alcázar lingüístico :

adueñarse de aquello que en puridad os pertenece : paralizar
la circulación del lenguaje : chupar su savia : retirar las palabras una a una hasta que el exangüe y crepuscular edificio
se derrumbe como un castillo de naipes» (pág. 196).

El delirio mental del personaje culmina en una nueva versión del Caperucito Rojo, protagonista masculino de la cono-
cida historia infantil, al ser sodomizado y asesinado por un
moro. Esta historia sirve de introducción y de motivación
a la siguiente:

> no
> no es así
> la muerte no basta
> su destrucción debe ir acompañada de las más sutiles
> torturas
> perros hambrientos
> lobos sanguinarios
> sanguijuelas
> beberán su sangre joven, fresca y pura
> con seis muchachos más y siete doncellas
> será ofrendado inerme
> en holocausto... (pág. 210).[29]

Aquí estamos ante un pasaje de tono sado-masoquista en
el que un niño (en realidad es el personaje, un cuarto de siglo
atrás) se rinde a los avances homosexuales y sadistas de Julián. La novela termina en un plano narrativo más objetivo y
más alejado de la fantasía subconsciente del personaje. Observamos lo que éste percibe durante su viaje de regreso en un
autobús hasta que entra en su casa se acuesta y cierra los
ojos pensando: «mañana será otro día, la invasión recomenzará» (pág. 240).

El autor, mediante un sistema de ingeniosos símbolos ar-
tísticamene elaborados, nos presenta a un personaje en el que
se va operando un cambio radical. Esta transformación lo im-
pulsa a rechazar los valores que su patria, España, mantiene
como eternos y únicos. De aquí la reivindicación a que se
hace referencia en el título de la obra. La traición, claro está,
no es la de don Julián, sino la del personaje. Es una traición

que, por su obligada índole constructiva-destructiva, lleva en sí misma la concomitancia de una reivindicación que funciona tanto para el personaje de la novela como para el legendario don Julián con quien él se identifica. En un certero juicio sobre este asunto Manuel Durán ha dicho que «la madre en este caso España, es un obstáculo a la vida verdadera del hijo, impide con su obsesionante presencia que el hijo madure y llegue a ser el que tiene que ser. Si es preciso... hay que llegar hasta la destrucción de la madre». [30] Hemos dicho que en *Reivindicación* asistimos no sólo a la destrucción de la madre, sino al cambio operado en el personaje que lo lleva al matricidio simbólico de la obra. Al principio de la narración encontramos que el personaje no ha logrado decidirse a llevar a cabo sus propósitos. Se halla, pues, ante un conflicto angustioso frente al que urge tomar una decisión. Su voz interna le dice: «te concedes, inmóvil, unos breves instantes de tregua : a veces, el frente frío del anticiclón de las Azores ocupa la cuenca mediterránea y se adensa como en un embudo entre las dos riberas hasta anular el paisaje : nueva Atlántida, tu patria se ha aniquilado al fin : cruel cataclismo, dulce alivio : los amigos que aún tienes se salvaron sin duda : ninguna pena pues, ningún remordimiento : otras, la niebla parece abolir la distancia : el mar convertido en lago, unido tú a la otra orilla como el feto al útero sangriento de la madre, el cordón umbilical entre los dos como larga y ondulante serpentina : la angustia te invade» (pág. 13).

Aquí nos encontramos ante el elemento que va a dar cuerpo a la novela: la destrucción de la España sagrada, pero más que nada, el cambio operado en el personaje para llegar a su fin. Este cambio se produce en tres etapas. Ya nos hemos referido al estado conflictivo de la primera. En la segunda, volvemos a oír su propia e instigadora voz: «imagina la cicatriz venenosa al otro lado del mar: ...contempla el materno vientre hinchado y su innúmera prole : huye de ellos, Julián, refúgiate en el café moro : a salvo de los tuyos, en la africana tierra adoptiva : aquí la nefanda traición dulcemente florece : víbora, reptilia o serpiente enconada que, al nacer, rompe los ijares de la madre : tu vientre liso ignora la infamia del ombligo» (pág. 126). Ya el personaje se ha identifi-

:ado con don Julián, rechaza su tierra natal a favor de su
ierra adoptiva y se refiere a su traición como nefanda, tal
rez en el doble sentido de acción repugnante y sodomítica. La
;ierpe, instrumento fálico del encantador, de Julián y aún del
nismo personaje, sodomiza al Caperucito Rojo, símbolo de
España. [31] Aquí, su sierpe, su traición carente de ombligo, deja
)or lo tanto de reconocer a su madre para violar, destruir y
iodomizar al símbolo que la encarna. La riqueza de sugeren-
:ias e interpretaciones de este pasaje es extraordinaria.

En la última etapa se completa el ciclo. El rompimiento
otal con los vínculos maternos de la segunda etapa deja
ugar ahora a la aniquilación absoluta que resulta en el ma-
ricidio. No sólo se ha producido la devastación de la flora y
a fauna carpetovetónica, sino que la acción destructora del
)ersonaje también alcanza al lenguaje. La destrucción ha sido
:ompleta, al igual que la anterior separación entre madre e
iijo. Julián se encuentra ahora con el ombligo desollado y sin
roz abandonado a la erosión de los siglos» (pág. 201). El ca-
·ácter simbólico-alegórico de estos pasajes y de los términos
nadre, hijo, ombligo, cordón umbilical, se manifiesta una vez
nás en la incursión que el personaje realiza dentro del apara-
o genital de Isabel la Católica, símbolo también de España.
El sentido alegórico de este pasaje —el regreso, de matiz sar-
:ástico e irónico, a su país natal— oculta, tal vez, un significa-
lo más profundo: deseo del personaje de regresar a la segu-
·idad del útero materno. [32]

Parece evidente, pues, el sentido mítico que aquí encon-
ramos. Ramón Buckley, al trazar las referencias míticas en la
)bra de Goytisolo, halla un mito central y recurrente —el del
)araíso perdido— apoyado en otros tres secundarios: el de
Proteo, el de Icaro y el del hijo pródigo. [33]

En *Reivindicación* estamos ante una nueva versión del mi-
o del hijo pródigo. La diferencia radica en que el personaje
;e impone a sus deseos reprimidos (manifestados como incur-
;ión en la vagina de Isabel la Católica) de realizar la segunda
)arte del mito, el regreso, para llevar a cabo el necesario re-
:hazo total, el corte absoluto del cordón umbilical. Para esto
:l personaje recurre a una serie de fantasías a las que trata-
·emos de dar explicación. C. S. Lewis, [34] al discutir el término

«fantasía» dentro de un contexto psicológico-literario, observa tres tipos distintos. Una, la menos literaria y la más patológica, toma forma en una «imaginative construction which in some way or other pleases the patient and is mistaken by him as reality. A woman in this condition imagines that some famous person is in love with her». El segundo tipo al que Lewis llama «Morbid Castle-building», se caracteriza por ser «a pleasing imaginative construction entertained incessantly, and to his injury, by the patient, but without the delusion that it is a reality. A waking dream —known to be such by the dreamer— of military or erotic triumphs, of power or grandeur, even of mere popularity, is either monotonously reiterated or elaborated year by year. It becomes the prime consolation, and almost the only pleasure, of the dreamer's life... He becomes incapable of all the efforts needed to achive a happiness not merely notional». El tercer tipo de fantasía, «Normal Castle-building», es un tipo de actividad mental semejante a la anterior, pero inducida en forma más breve y moderada «as a temporary holiday or recreation duly subordinated to more effective and outgoing activities» Las fantasías del protagonista de *Reivindicación* pertenecen a segundo tipo puesto que al manifestar su intención en las primeras páginas: «inventar, componer, mentir, fabular : repetir la proeza de Sherezada durante sus mil y una noches escuetas, inexorables» (pág. 13), claramente presenta la índole irreal y fantástica de un relato que él goza en fabular. [35] Por otra parte, la reiteración monótona de la fantasía, como la concibe Lewis, se manifiesta en las páginas finales de la narración: «como ayer, como mañana, como todos los días: abrirás pues la entrada de la portería, pulsarás el botón te atrancarás en el interior de tu apartamento : ...mañana será otro día, la invasión recomenzará» (págs. 239-240).

Ya que hemos tratado de exponer la índole general de las fantasías en *Reivindicación,* creemos necesario analizar, con miras a una posible clasificación, la relación de cada una con la subjetividad del personaje. Marcelino Peñuelas, siguiendo las teorías expuestas por Jung, estudia «los productos de la imaginación inconsciente en dos categorías. Primera, fantasías (incluyendo sueños) de carácter personal, que retroceden experiencias personales, a cosas olvidadas o reprimidas. Segunda, fantasías (incluyendo sueños) de carácter impersonal, que no pueden ser reducidas a experiencias en el pasado del individuo». [36]

Dentro del primer apartado encontramos las fantasías que el personaje sueña mientras duerme en un café. En su delirio onírico podemos identificar cinco fantasías hábilmente combinadas mediante integraciones y superposiciones de imágenes, que parecen estar íntimamente relacionadas con experiencias personales de su niñez. El motivo de los insectos —recurrente en toda la novela— parece provenir de sus experiencias cuando niño en las clases de Ciencias Naturales, dirigidas por un maestro con características de figurón: «pasarás, pues, a las clases prácticas en medio de los demás niños vestidos con delantales, agrupados alrededor de la mesa de la tarima en donde él (¿Figurón?) manipula el tarro de vidrio y ajusta cuidadosamente la tapa : una vasija circular de unos veinte centímetros de diámetro, transparente, diáfana, con el fondo cubierto de mullidos algodones amarillos : hablando con su habitual tono persuasivo y didáctico, vigilando quizás en el rostro de él (el niño) los primeros síntomas clínicos del terror» (pág. 93). El segundo episodio consiste en el relato que la vieja criada refiere al niño sobre la historia de la Caperucita y el lobo feroz. Interpoladas en esta narración el personaje recuerda sus incursiones por barrios de la ciudad para, de esta forma, darnos un avance del tercer episodio: las relaciones entre el niño y el guarda de la obras. La fantasía se diluye en la visión de una enorme vendedora de flores que lo obliga a examinar su gigantesca vagina. En el último episodio el niño se refugia en una iglesia y, después que en su mente se combinan distintas imágenes y recuerdos de fragmentos del sermón de un cura, termina «postrado de hinojos ante el camerino de la Virgen/un maniquí de madera articulado, vestido con un manto azul y oro y con el corazón atravesado de alfileres como el acerico de una costurera : en sus brazos, el Hijo, un muñeco de pelo rubio natural peinado a lo Shirley Temple, empuña una espada de juguete...» (pág. 108).

Cada uno de estos episodios tienen su paralelo en la segunda profusión de imágenes oníricas de la obra. Aunque ya no es un sueño propiamente dicho —«arrancado violentamen[te] te a tu sueño, abres los ojos» (pág. 109)— nos encontramo[s] ante un estado muy semejante debido a la somnolencia que e[l] hachich produce en el personaje: «...Tarik te tiende silencio[sa]samente la pipa : la ramita de hierbabuena escurre sus últi[mas] mas gotas en el vaso vacío : el dueño del café te trae otro y s[u] aroma cálido se agrega armoniosamente al de Kif» (pág. 110[)].

La primera de estas fantasías se puede asociar con el epi[sodio] sodio en que Alvaro Peranzules, el figurón noventaiochista[,] muere en medio de una nube de insectos. Por otra parte, l[a] nueva versión del Caperucito Rojo, sodomizado por un árab[e] es una variación del relato infantil que contaba la vieja cria[da]. da. Este episodio evoluciona en un tercero que nos present[a] las experiencias del niño sujeto a los avances homosexuale[s] de un celador de obras. Aunque aquí los rasgos anecdótico[s] aparezcan perfilados con mayor claridad, nos encontramo[s] aún ante la versión de un relato en el momento de tomar fo[r]ma en el subconsciente del personaje. También, el recuerd[o] del choque emocional recibido por el personaje-niño, al ense[-] ñarle la florista sus órganos genitales, indudablemente pr[o]duce la fantasía sexual —de marcados tonos psicológicos— que permite al personaje adentrarse en la vagina de Isabel l[a] Católica, obvio símbolo de España. Por último, una vez que l[a] destrucción de los mitos de la España sagrada ha sido cas[i] total, el personaje se manifiesta como un verdadero icono[-] clasta, llevando su delirio a una fantasía sacrílega ya esboza[-] da durante su sueño anterior. Ahora no sólo se halla ante l[a] estatua de la Virgen y del Niño, sino que los despoja de are[-] tes y anillos, en el momento en que la iglesia se derrumba [y] sus escombros caen sobre «los racimos humanos que, entre l[a] sangre, el sudor y el semen, fornican y jadean» (pág. 233).

En esta segunda parte de la epifanía onírica el personaj[e] imagina fantasías que no se pueden relacionar, directamente, con su vida personal o experiencias pasadas. Pertenecen, pues, al segundo tipo de imágenes de que habla Peñuelas. En la pri[-] mera fantasía de esta segunda parte, nos encontramos ante u[n] Séneca proteico que se transforma en torero y figurón, some[-] tido a las necesidades fisiológicas de todo ser viviente. Séneca[,] habitante de las barbas de Tarik, termina siendo aplastado[,] como un insecto más, por las babuchas de un árabe. La intención es clara. El personaje rechaza el mito del senequismo español y presenta al filósofo en un estado «mísero y lamentable : sus movimientos secos, tajantes, parecen obedecer a una doble y opuesta incitación : sobriedad, esquematismo y, simultáneamente, gesticulación, despilfarro : con su bonete mugriento, sus zapatos rotos, su chaqueta de espantapájaros mira fijamente al vacío, integrado como un elemento más en la decoración y sin atraer la atención de nadie» (pág. 156).

En la segunda de estas fantasías el personaje se ve a sí mismo como ejecutor de sus más recónditos deseos: la completa destrucción de las viejas tradiciones españolas, para él carentes de sentido. No sólo hay que destruir el paisaje y la raza, sino el lenguaje. En un maravilloso pasaje de la novela, «pequeña obra maestra de ingenio y verdad histórica»,[38] el personaje, totalmente identificado con Julián, trata de retirar todos los arabismos del idioma español, de forma «que las gargantas mesiánicas que lo emiten se atrofien y enmudezcan de golpe» (pág. 200).

Además de los temas que hemos expuesto podemos observar varios temas secundarios, que también aparecen en otras novelas, y que forman el cuerpo de varios artículos compilados en *El furgón de cola*. Goytisolo critica no sólo las instituciones y oficiales del gobierno español, sino que también culpa al pueblo que abúlicamente acepta y mantiene vivos muchos de estos mitos. Al principio de la novela nos encontramos al personaje acodado en su ventana, mirando a España, mientras piensa: «adiós, Madrastra inmunda, país de siervos y señores : adiós tricornios de charol y tú, pueblo que os soportas» (pág. 15).

Por otra parte, ese mismo pueblo es el que rehusa —ya por conveniencia, ya por falta de conocimiento— a buscar una verdadera identidad nacional, para aceptar los valores e influencias extranjeras que prostituyen la raza: «el deslumbrante progreso industrial, la mirífica sociedad de consumo ha desvirtuado los rancios valores : Agustina sirve hotdogs en un climatizado parador de turismo : el tambor del Bruch masca chicle y fuma Benson and Hedges a fuerza de mantener el brazo en alto y extendido adelante, con la mano

111

abierta y la palma hacia arriba, los huesos se nos han vuelto de plomo y lamentablemente han caído conforme la ley de la gravedad» (pág. 137).

Los autores, literatos, periodistas y críticos literarios españoles también reciben el repudio del autor. Ya en los amargos ensayos de *El furgón de cola* Goytisolo atacaba la sumisión de los literatos españoles ante el sistema arcaico español. En *Reivindicación* encontramos una crítica aún más severa y devastadora: «hijos, nietos, biznietos, tataranietos del 98, bardos de la inamovible flora esteparia, de la hispánica esencia a prueba de milenios : estatuas todavía sin pedestal pero ya con la mímica y el desplante taurómacos, con el genio y figura austeros del senequismo : ascendiendo pacientemente por el laurífero escalafón vertiendo a raudales su simpático don de gentes : si me citas te cito, si me alabas te alabo, si me lees te leo : original y castizo sistema crítico fundado en la tribal, primitiva economía de trueque». (página 149).

La reiteración de las ideas y fantasías del personaje requieren una estructura circular.[39] La novela está encerrada dentro de un marco objetivo en el que la narración ocurre a un nivel mental donde la realidad aún no aparece deformada por la subjetividad del personaje. Tanto el principio como el final de la novela presentan una misma escena: el recuento que el personaje hace de los objetos de su habitación al despertarse en la mañana y al regresar por la noche, después de haber pasado el día deambulando. Dentro de ese lapso de tiempo aparecen las fantasías del personaje separadas en dos grupos por el breve momento en que éste es despertado. Con respecto a la estructura de la obra se hace evidente un leitmotiv artístico perfectamente bien integrado a la narración y fácilmente reconocible al principio y al fin de la novela. El leitmotiv es el sonido que produce la flauta de un afilador de cuchillos que, como muchas de las fantasías del personaje, a veces «resuena a lo lejos delicadamente irreal : grávida de sugerencias, invitaciones, promesas : escueta, ligera, sutil : suasoria» (pág. 238). Otras veces, durante los delirios del personaje, encontramos el sonido de la flauta asociado al encantador de serpientes o a los negros antilla nos, que, como serpientes también, bailan «ondulando el cuerpo al agudo son de las flautas desarticulando caderas y hombros al ritmo efusivo de los bongós» (pág. 75).

Al igual que la estructura, el punto de vista guarda estrechas relaciones con el tema de la novela. Para comprender la importancia del punto de vista en esta obra tendríamos que remontarnos de nuevo a *Señas de identidad* donde ya aparece la segunda persona narrativa en la forma de desdoblamiento con que se manifiesta en *Reivindicación*. Como hemos visto el punto de vista en *Señas de identidad* es múltiple, lo cual refleja la intención por parte del autor de fundir la objetividad y subjetividad del personaje alternando el punto de vista narrativo. En *Reivindicación* Goytisolo renuncia a ese intento de objetivar al personaje para presentarlo en forma subjetiva, volcando en él gran parte de su propia personalidad. Si en *Señas de identidad* vimos el comienzo del proceso que daría al protagonista una verdadera conciencia de sí mismo, en *Reivindicación* asistimos —mediante la identificación del personaje con don Julián, y el rechazo de sus propias tradiciones— a la culminación de ese intento. La duplicación del personaje claro está, es el procedimiento más indicado para los fines del autor. De esta forma se puede llegar a niveles mentales en los que existen experiencias olvidadas o reprimidas por el consciente, y que pueden ser sacadas a relucir mediante las interpelaciones de ese «yo» interno que se dirige al «tú». De aquí que el «yo» que narra o interpela al «tú» sea mucho más omnisciente que éste. Michel Butor que, además de haber utilizado ese punto de vista narrativo, ha teorizado al respecto, dice «C'est parce qu'il y a quelqu'un à qui l'on raconte sa propre histoire quelque chose de lui qu'il ne connaît pas, ou du moins pas encore au niveau du langage, qu'il peut y avoir un récit à la seconde personne, qui sera par conséquent toujours un récit 'didactique'».[43] Según Butor ese «tú» es un representante del lector a quien el autor se dirige. Bernard Pingaud llega un poco más allá en su interpretación de la segunda persona narrativa, y expone las diferencias entre sus opiniones y las de Butor. Según Pingaud, este punto de vista es el de «une première personne qui refuse de s'incarner dans aucun individu déterminé, qui est, en

113

somme la voix de la conscience, la mienne, la vôtre, la sienne, celle du héros. Il arrive ainsi que pour nous plaidre ou nous exhorter à agir nous tutoyions. Si cette première personne surgissait sous la forme d'un 'je', la situation changerait complètement. On pourrait imaginer un récit où le romancier dirait 'vous', où le 'vous' se trouverait en rapports avec un 'il', et où le 'il', finalement, se révélerait être le 'je' qui s'adressait à ce que 'vous'. Le cercle serait alors fermé: on passerait incessamment du même à l'autre».[44]

La interpretación de Pingaud se acerca mucho más que la de Butor al empleo que Goytisolo hace de la segunda persona. Más aún si nos damos cuenta que hay partes de la novela en que la duplicación se extiende a una triplicación. El personaje al tiempo que se identifica con Julián, con el guardián de obras o con el encantador de serpientes, también se desdobla en Alvarito en el niño sodomizado o en el Caperucito Rojo. Uno de estos pasajes es el siguiente: «Y, al fondo, la suave melodía de la flauta que diestramente tañes tú, el encantador... y, abdicando sus buenas intenciones y propósitos, él (tú) se colará aún por la solitaria barrera, seguirá la pasadera de tablas, se detendrá ante el umbral de tu choza» (página 221).

Parece, pues, que nos encontramos ante un punto de vista muy semejante al que expone Cassirer como medio de encontrar el verdadero «yo» de la conciencia mítica: «Here the I is oriented not immediately toward the outside world but rather toward a personal existence and life that are similar to it in kind. Subjecvtivity has as its correlate not some outward thing but rather a 'thous' or 'he' from whic on the one hand it distinguishes itself, but with which on the other hand it groups itself. This thou or he forms the antithesis which the I requires in order to find and define itself».[45]

Resumiendo lo que hemos expuesto, y siguiendo la clasificación sobre el punto de vista en la narrativa propuesta por Friedman,[46] nos encontramos en *Reivindicación* con un «Yo como protagonista» que, identificándose con varias terceras personas (él), se desdobla en un narrador que se dirige a sí mismo (tú) a modo de invocación. Cabe mencionar respecto a la segunda persona narrativa, que el empleo de los tiempos verbales tiene gran importancia en la obra. Como la narración va tomando forma en la mente del personaje, no hay diferencia entre el tiempo de lo contado y el tiempo desde donde se cuenta. Por lo tanto, el autor recurrirá al uso de los infinitivos para darnos la idea de una acción desligada del tiempo o, más que nada, recurrirá a los gerundios para producir la impresión de una acción continuada. Hay varios pasajes en los que también abundan los futuros. Mediante el empleo de este tiempo el autor presenta la idea de una acción que, realizada varias veces a modo de hábito o ritual, volverá a llevarse a cabo dadas las mismas circunstancias.

No podemos cerrar este trabajo sin referirnos a uno de los elementos más interesantes de la obra: su lenguaje. Goytisolo nos ofrece una experiencia lingüística llena de sugerencias, de posibilidades imaginativas y de múltiples interpretaciones. Manuel Durán, al ocuparse del lenguaje de la obra, encuentra «seis o siete estilos diferentes todos bien coordinados, todos necesarios». [47] Podríamos decir en términos generales, que lo más sobresaliente de este aspecto de la obra es su barroquismo: el vocablo rebuscado, la frase difícil, la metáfora insinuante, los juegos de palabras. Todos estos procedimientos están empleados, unas veces, en un intento irónico y destructivo; otras, con un verdadero afán creador. A este respecto, el mismo autor nos dice que «para destruir los mitos que envuelven el término 'España', que sean de la derecha o de la izquierda, hay que partir de un análisis y denuncia de nuestro lenguaje oficial. Impugnando las palabras sagradas de las clases dominantes impugnamos al mismo tiempo los valores que ellas expresan». [48] Vemos, pues, que la aguda crítica de Goytisolo hacia las falsas tradiciones españolas está íntimamente relacionada con su ataque al lenguaje de los escritores clásicos españoles y a las ideas que con éste se expresan. Esta revolución del lenguaje —que se hace evidente desde *Señas de identidad,* sobre todo en los últimos capítulos, y que continúa en *Juan sin tierra*—, marca una nueva etapa en la evolución de la novelística de Juan Goytisolo. En este período el autor intenta crear triunfando rotundamente, una novela nueva y abierta donde las técnicas empleadas queden sin sistematizar. El lenguaje es su principal instrumento y Goytisolo lleva la experimentación lingüística a sus últimos extremos en busca de lo que él llama el «eclecticismo creador», [49] la fusión totalizante de diversas corrientes literarias y de distintos métodos narrativos.

Juan sin tierra, [50] la por ahora última narración de Juan Goytisolo, es un texto que debe ser analizado tomando en consideración el carácter amalgamador y proteico de su prosa. Considerar este texto como si fuera una novela, sería un grave error de perspectiva crítica. La naturaleza de esta obra la expone el propio Goytisolo al comienzo de la última parte: «eliminar del corpus de la obra novelesca los últimos vestigios de teatralidad: transformarla en discurso sin peripecia alguna: dinamitar la inveterada noción del personaje de hueso y carne : substituyendo la progresión dramática del relato con un conjunto de agrupaciones textuales movidas por fuerza centrípeta única : núcleo organizador de la propia escritura, plumafuente genésica del progreso textual» (pág. 311).

En una entrevista con Julio Ortega, recogida en una antología de ensayos, Goytisolo dice que en *Juan sin tierra* «no hay unidad de tiempo, ni de lugar, ni de personaje (aunque al principio del texto pueda parecer lo contrario). El lector deberá internarse en la novela como quien se adentra en un sueño enfrentado a un universo móvil y escurridizo, que se forma y deshace sin cesar ante sus propios ojos... En *Juan sin tierra* el orden lógico y el temporal son sistemáticamente destruidos y la estructura de la obra, como la de un poema, se desarrolla en un plano especial. El lector deberá 'leerla', si quieres, como un móvil de Calder». [51] En su última obra Goytisolo logra la meta que se habría propuesto a partir de *Señas de identidad*. Esto es, buscar un estado de disolución del lenguaje donde no existan personajes ni acción dramática. ¿Cómo acercarnos, pues, al estudio de este texto?

Para el análisis y estudio de *Juan sin tierra* tenemos que emplear un método ecléctico, tan ecléctico como la obra misma. *Juan sin tierra*, nos parece, se fundamenta en dos proyecciones, la satírica y la confesional, ambas fusionadas en un texto proteico donde se evidencia la subjetividad del autor. Esta subjetividad actúa como el elemento cohesivo de la obra y se manifiesta en varios personajes con los que se identifica el autor. Por otra parte, también sirve como eje inequívoco de los pasajes confesionales de la obra. El autor, en numerosos pasajes del texto donde utiliza la técnica de la autointerpelación o desdoblamiento que utilizó en *Señas de identidad* y en *Reivindicación del Conde don Julián,* nos recuerda que él siempre se encuentra detrás del texto y que la escritura es una forma de catarsis literaria con la que busca destruir, al menos en el texto, aquellas partes de su realidad que le resultan aborrecibles. Estos pasajes siempre son creados «en la abuhardillada habitación en la que obstinadamente te entregas al experto onamismo de la escritura: el inveterado, improductivo acto de empuñar la pluma y escurrir su filiforme secreción genitiva según las pulsiones de tu voluntad» (página 225). Las diatribas que usualmente siguen van dirigidas contra aspectos de la sociedad o de la moral católica. También, siguiendo la tradición de la sátira menipea, reflejan en forma grotesca e irónica, y a veces humorística, las actitudes mentales de ciertos individuos. Otras veces hay rencor y del desdén se producen en el autor mezclados con chispazos de escenas de su vida y recuerdos de la infancia que aborrece y quiere olvidar.

La agresividad y rencor que encontramos en *Juan sin tierra* es de naturaleza satírica. Gilbert Highet explica que la inicial actitud de desprecio o desdén del autor satírico se convierte muchas veces en odio debido, tal vez, a la frustración que siente ante la impotencia de cambiar la situación.[52] En estos casos, evidentes en el texto de Goytisolo, la escritura, además de tener un efecto catártico, sirve también como venganza literaria: «frases extraídas de los libros y fotocopias se superponen en tu memoria a la carta de la esclava al bisabuelo resucitando indemne tu odio hacia la estirpe que te dio el ser: pecado original que tenazmente te acosa con su indeleble estigma a pesar de tus viejos, denodados esfuerzos por liberarte de él : la página virgen te brinda posibilidades de redención exquisita junto al gozo de profanar su blancura: basta un simple trazo de pluma : volverás a tentar la suerte» (pág. 51).

El pasaje anterior muestra claramente la función de la subjetividad del autor como elemento estructurador de la obra.

Los temas de este texto deben ser analizados e identificados de la misma forma que lo hacemos con las variaciones de un tema en una composición musical. Es interesante notar a este respecto que una de las secciones del texto se titule «Variaciones sobre un tema fesí» donde encontramos un pasaje en el que se nota el doble propósito del autor. Goytisolo quiere crear una nueva forma literaria que confunda y desoriente al lector, pero esa confusión debe proyectarse al mundo en general y producir duda, elemento esencial para poner en tela de juicio los dogmas tradicionales de la sociedad: «investido de los poderes sutiles del mago, pondrás tu imaginación al servicio de nuevas e insidiosas arquitecturas cuyo sentido último será el del aleve callejón fesí: captar al intruso ingenuo, seducirlo, embaucarlo, envolverle en las mallas de una elusiva construcción verbal, aturdirle del todo, forzarle a volver sobre sus pasos y, menos seguro ya de su discurso y la certeza de sus orientaciones, soltarle otra vez al mundo, enseñarle a dudar» (pág. 146).

Ya que hemos presentado brevemente la naturaleza de la vena satírica y subjetiva sobre la que se fundamenta el texto de *Juan sin tierra,* debemos explorar una de estas tendencias con más profundidad. Comencemos, pues, con el análisis de los pasajes más sobresalientes de la obra que se acercan a la forma confesional.

Si en *Señas de identidad* vemos el comienzo del proceso que dará el protagonista una verdadera conciencia de sí mismo, en *Reinvindicación del Conde don Julián* asistimos a la culminación de ese intento. Goytisolo se identifica con don Julián y, mediante esta identificación puede dar salida a sus agresiones y odios. No obstante, se da cuenta también de que hay en su personalidad un elemento de pasividad y obediencia sumisa que él vierte en su identificación con Alvarito, niño nacido —como Goytisolo— en el seno de una familia burguesa, en quien Goytisolo refleja muchas de sus actividades emocionales. Al final de la novela Alvarito se cuelga de una viga del techo como resultado de las vejaciones de su alter ego. Este suicidio simbólico permite a Goytisolo quemar las naves y renunciar a su pasado. En *Juan sin tierra* nos encontramos con un Goytisolo dueño de su propia identidad y producto de un cambio realizado por sí mismo, sobre sí mismo, con toda la fuerza que la conciencia de su desarrollo le permite. La conciencia de su identidad le ha permitido reconocer su anterior duplicidad y renunciar no sólo a su pasado personal, sino a su pasado social. Su patria ya no es suya. Ha quedado atrás, como el recuerdo del otro, de Alvarito. El conocimiento de esta nueva identidad se evidencia en un pasaje del texto donde un escritor novicio dialoga con un crítico literario y se deja llevar por las teorías de éste: «su entusiasmo es contagioso y, encaramándote con él a las alturas, planearás levemente sobre las tropicales miríficas ínsulas, asidero y refugio de tu cuitada niñez : ¿tuya? no, del otro : del infante exquisito (ejecutado luego) poseído de ecuménicas ansias de proselitismo y anhelos fervientes de regeneración» (pág. 277). El crítico y otros lectores comienzan una diatriba contra el escritor quien de pronto se encuentra de nuevo en su niñez. Esta sólo existe como un recuerdo que él puede, distanciadamente, traer de nuevo a su memoria: «las preces y antífonas de los fieles rematan la paulatina transformación del lugar y el olor a incienso de su niñez (del otro, del muerto) insidiosamente envolverá la cola de penitentes a casi cinco lustros de distancia» (pág. 289).

El carácter confesional de partes de la obra emerge de nuevo en las descripciones de Alvarito —alter ego de Goytisolo— y de su manera de ser: «en vez de entregarse a los juegos inocentes y alegres de la niñez como sus restantes compañeros de colegio, prefería refugiarse en el oratorio privado de la familia y, al pie del altar, lejos del tráfago ciudadano y del mundanal ruido, permanecerá horas enteras de hinojos, absorto en meditaciones graves y abstrusas» (pág. 219). El niño piensa en las cualidades de los santos y se siente sucio de alma y cuerpo por dejarse llevar de sus necesidades fisiológicas al someterse a la expulsión visceral pues, según ha leído y le repiten sus maestros, los residuos de los bienaventurados del paraíso «se transforman en un líquido refinado y suave, parecido al bálsamo de benjuí y la escencia de almizcle» (página 220). A continuación, mientras el niño se dispone a defecar, el ángel de la guarda y la serpiente le hablan. Esta lo incita a defecar mientras aquél lo exhorta a no dejarse llevar por la tentación. La escena termina cuando la hermanita, loca de contenta, va a comunicar a su padre las buenas noticias de que Alvarito ha ganado, pues, aguantando sus deseos de defecar, pudo exhalar una substancia aromática por vía cutánea. La discusión sobre el carácter irónico de este pasaje la dejaremos para más adelante. Vale decir por ahora que este episodio hay que entenderlo en su significado alegórico en cuanto a la actitud que refleja el niño en su relación con el concepto de autoridad y las falacias que a veces éste impone. Goytisolo no se preocupa de presentar una confesión cronológica e hilvanada de su vida. Su interés está en descubrir las actitudes de las personas que llevan a cabo las acciones, y en los factores que causan estas últimas, la verosimilitud del suceso que narra está distorsionada por el lente irónico. La verdadera realidad del caso no radica, pues, en la plausibilidad del mismo sino en su propia esencia, velada por el elemento satírico.

Hay otro elemento de la obra fácilmente identificable con la subjetividad del autor, y que puede ser relacionado con la tendencia confesional. Al principio del texto encontramos un pasaje sobre los ofidios ficticios del subsuelo de Manhattan. El personaje se identifica con ellos y crea un fantástico ejército de lagartos que, bajo un mando, invadirá la ciudad saliendo por alcantarillas y desagües. [53] El pasaje es alegórico y su función dentro del texto se manifiesta unas páginas más adelante cuando el autor, duplicado en la voz narradora dice: «Lentamente te has despojado de los hábitos y principios que en tu niñez te enseñaron : no cabías en ellos : como culebra que muda de piel, los has abandonado al borde del camino y has seguido avanzando : tu cuerpo ha adquirido la reptante flexibilidad del ofidio y la mera visión de la enemiga fauna suscita en tu fuero interno imágenes suntuosas de violencia verbal» (pág. 83).

El motivo de la serpiente cobra una función artística y simbólica. Aparece cada vez que el autor se refiere a algún epsiodio de su niñez de cuyo elemento afectivo quiere despojarse. Al igual que la serpiente muda de piel, así quiere él, mediante el análisis y la introspección, desembarazarse de los recuerdos e identidades pasadas. El cambio ha sido total y ahora Goytisolo puede, a través de la escritura, «interpretar su trayecto (el del otro) de modo retrospectivo, con la conciencia de haber llegado al final de un ciclo a partir del cual, mudada la piel, saldada la deuda, puedes vivir en paz» (página 313). No obstante, cabe preguntarnos, ¿puede Goytisolo vivir en paz? La respuesta, nos parece, es negativa porque la España que él quiere olvidar está presente en su literatura de una manera casi obsesionante. En las páginas finales del texto Goytisolo identifica su actitud hacia España con la que su senil abuela mostraba hacia el resto de la familia. La anciana se encontraba internada en un sanatorio y cuando Goytisolo fue a visitarla un día no lo reconoció. La abuela se sentía hacia él como se hubiera sentido hacia un extraño. Lo trató con cortesía pero en forma impersonal. La interpeladora voz del texto continúa dirigiéndose al autor: «apostasías, transgresiones, destierro te han extrañado para siempre de la fauna nativa y las fórmulas de urbanidad que ocasionalmente cruzas con ella con algo tan mecánico y huero como la sonrisa desvaída de la abuela el día memorable en que le desconoció a ti, no a ese otro cuyas mudas de piel a lo largo del camino señalan con cautela, a lo Pulgarcito, las venturas y riesgos de su altiva, solitaria traición» (pág. 319). El cambio operado en Alvarito (Goytisolo) es un cambio al que el propio autor califica de «solitaria traición». Goytisolo sabe que ha traicionado su pasado y por eso se identifica con la serpiente, ofidio que a partir de su papel bíblico aparece frecuentemente asociado con el engaño y la traición.

La renuncia a su propia cultura es uno de los temas recurrentes en el texto y sirve de vínculo a los tres episodios en los que el autor se identifica con T.E. Lawrence, Anselm Turmeda y con el Père de Foucauld. Todos estos individuos tienen como denominador común el interés en el mundo árabe que se extiende desde la apostasía de Turmeda en favor del mundo musulmán, a través de la aventura militar de Lawrence, hasta el martirio y muerte del Père de Foucauld a manos de los indígenas que trataba de redimir. La identificación con Foucauld es interesante porque presenta un deseo de autocastigo que se manifiesta desde las primeras novelas de Goytisolo. La identificación con Foucauld es producto del sentimiento de alienación y culpa que lo hace asumir un papel pasivo. Esta duplicidad es una fijación que aparece desde el comienzo del texto cuando, en una parodia Yoruba de la Encarnación, Changó —alter ego agresivo del autor— viola a su propia madre Yemayá, mientras dentro de ésta se encuentra el alter ego pasivo y redentor esperando que se produzca el acto para poder nacer. El nuevo Goytisolo es, pues, producto de la conciencia que su asalto y desmitificación de España le produce. El es, a la vez, agente y resultado del proceso. Por otra parte, se siente como un redentor que fracasa por no poseer las características de las gentes a quien quiere redimir. El mesías que resulta de la unión entre Changó y Yemayá, el presunto redentor de negros, nace con el «rostro pálido aún, señorito blanco de mierda : abucheando al unísono por la indignada dotación : cortado para siempre de los parias y los metecos : ni

Ungénito ni Mesías ni Redentor
¿usted?
        ¡no me haga reír!
                ¿con su defecto?» (pág. 59).

Así se siente Goytisolo con su nueva identidad. Es un ser marginado, sin patria ni cultura. Un redentor inadecuado con un terrible complejo de culpa que lo fuerza a rechazar esos elementos que inconscientemente ama: su patria y su cultura. Para dar un escape a estos sentimiento Goytisolo utiliza la capacidad catártica de la escritura. En sus manos el texto se convierte en un elemento líquido, cambiante donde los personajes se superponen, se fusionan o se transforman. Los pronombres, dice Goytisolo son apersonales: «¿quién se expresa en yo/tú? : Ebeh, Foucauld, Anselm Turmeda, Cavafis, Lawrence de Arabia? : mudan las sombras errantes en vuestra imprescindible horma huera, y hábilmente podrás jugar con los signos sin que el lector ingenuo lo advierta» (pág. 159).

En un interesante pasaje del texto titulado «El octavo pilar de la sabiduría» Goytisolo nos da la clave del significado del octavo pilar. En pasajes anteriores se identificaba con el autor de *Los siete pilares de la sabiduría* y, como éste, luchaa contra los turcos en favor de los árabes queriendo, en un persuasivo texto, convertirse en Lawrence de Arabia. Pero su propia voz de narrador le dice: «tus pretensiones de autenticidad son difícilmente verificables y ni lágrimas, juramentos ni sangre establecerían su relación imposible con la esquiva, huidiza verdad : la habilidad del relato suplanta la dudosa realidad de los hechos, tu victoria de artista consagra la gesta inútil del militar : descartarás, pues, con desdén la gloria fundada sobre la impostura y decidirás abandonar para siempre tus hueras pretensiones de historiador» (pág. 126). Goytisolo llega a la conclusión de que es necesario renunciar «a las reglas del juego inane para imponer al lector su propio y aleatorio modelo en lucha con el clisé común : sin disfrazar en lo futuro la obligada ambigüedad del lenguaje y el ubicuo, infeccioso proceso de enunciación : conmutando desvío rebelde en poder inventivo : recreando tu mundo en la página en blanco» (pág. 126). El pasaje continúa con una metáfora donde la cultura islámica se presenta como el cuerpo de un guerrero que el autor escala hasta llegar a la cabeza donde, al otear el horizonte, vislumbra la boca enmarcada por el bigote: «panorama más tentador no pudiera ofrecerte el diablo, y el vértigo de la pasión te fulmina : en el reposo del guerrero hallarás el octavo pilar de la sabiduría : ciegamente te precipitarás en el ardiente volcán de los labios» (pág. 127). El nuevo sostén de su sabiduría radica en la entrega a la cultura que quiera abrazar, y en la proyección de su subjetividad en el verbo.

Relacionados a esta actitud sobre la subjetividad, encontramos pasajes de índole confesional en los que el autor presenta su actitud hacia su pasado, hacia la literatura y, más que nada, hacia su propia escritura concebida artísticamente como función sexual. Su meta, como le dice su propia voz, es la de buscar «a tientas la secreta, guadianesca ecuación que soterradamente aúna sexualidad y escritura : tu empedernido gesto de empuñar la pluma y dejar escurrir su licor filiforme, prolongando indefinidamente el orgasmo» (pág. 255). Vemos, pues, que Goytisolo busca en la escritura la satisfacción de sus propias necesidades psicológicas sin tener que crear una novela que satisfaga al público. Su literatura, podría decirse, es un diálogo consigo mismo en el que refleja sus emociones, senti mientos y actitudes.

Hay un paralelismo entre esta posición frente al arte d escribir y la forma en que Goytisolo concibe la relación se xual. En varias ocasiones se refiere al placer de la escritur como a una actividad onanista, es decir, autosatisfactoria. Lo pasajes sexuales de la novela son casi todos patológicos, co múltiples referencias al acto de la sodomía, al bestialismo, al homosexualismo. Aunque estos contactos sean improduct vos en cuanto al proceso procreativo, son sexualmente sati factorios para sus practicantes. Si la función del sexo no deb estar circunscrita a la procreación —sino a la satisfacció personal—, tampoco la función del escritor es la de escribi para ser leído. En uno de los pasajes satíricos del texto u escritor «diferente» es hospitalizado para ser curado de s anomalía. Muchos escritores que habían sido normalizados e ese sanatorio escribían después de un modo racional y obj tivo. Ahora «tienen esposa e hijos!, dice el doctor Vosk : pa ticipan plenamente en el proceso productivo! : en lugar de erección fugaz de un placer textual puramente masturbatori y baldío abren un surco fecundo, genésico en un público viv y atento!» (pág. 296). [54] El joven escritor rehusa ser curado termina confundiendo a los doctores que procuran su m joría.

Por último, queremos comentar y explicar brevemente la bases de la intención confesional evidente en la importanci que el autor da a la carta de una esclava de su bisabuelo: «r producirás una vez más, con tu caligrafía pulcra, la carta d de la esclava cuya lectura esclarece y da sentido a una vid (¿la tuya?) organizada (en función de ella) como un ininte rrumpido proceso de ruptura y desprendimiento» (pág. 313 La esclava se queja debido al abandono en que se encuentr como resultado de la marcha del señor. Los hijos de éste han echado de la casa y ahora no tiene de qué vivir. Con pal bras sencillas, pero conmovedoras, le pide socorro y su ber dición. Este episodio refleja el símbolo de toda la injusticia explotación contra la que se rebela Goytisolo. Su rebelión, n obstante, no es redentora —y esto tal vez explique la abunda cia de pasajes en los que él se describe como un mesías fr

124

asado— puesto que ya marcada por la culpa que siente al
aberse parte de una casta de la que trata enérgicamente de
epararse.

Si en *Señas de identidad* Goytisolo buscaba las claves de
u porvenir, en Juan sin tierra nos ofrece, en forma retrospec-
iva, las claves del cambio que lo han hecho lo que hoy es. Al
inal de la transcripción de la carta, la voz interna del autor
e deja oír de nuevo:

rito de dolor
uente secreta del proceso liberador de tu pluma
azón oculta de tu desvío moral y artístico, social, religioso,
exual (pág. 314).

En este pasaje encontramos la característica principal de
a literatura confesional. El autor posee la certeza de que su
osición es anómala, diferente a lo normal, y en numerosos
asajes de la obra se refiere a su anomalía, a su modo de
entirse como un paria y a la traición que su nueva identidad
ignifica. Por otra parte, como su confesión tiene que ver con
pisodios cargados de matices psicológicos y emocionales, el
exto sirve como forma catártica de liberación. [55] Los pasajes
onfesionales de la obra aparecen con miras a explicar —nó-
ese que no digo justificar —el cambio que se ha operado en
Goytisolo, la trayectoria de Alvarito al desterrado Juan.

Muchos de los pasajes confesionales del texto están defor-
nados por el enfoque satírico del autor. Conviene, pues, de-
enernos a analizar los elementos satíricos de *Juan sin tierra*.
egún Gilbert Highet, [56] la sátira literaria se puede identificar
esde un principio por el sentimiento que el autor expresa en
u texto y la emoción que quiere despertar en su público. Esta
moción se traduce en mezcla de diversión y desdén, enfati-
ando al uno o al otro elemento, o buscando un balance entre
mbos, el escritor satírico busca revelar el contraste entre lo
eal y lo aparente —al menos de acuerdo a como él lo perci-
e, y ridiculizar mediante la ironía la pasiva aceptación de
sas apariencias por las instituciones y sociedades en que se
esarrollan y manifiestan. Para esto el autor satírico recurre
la risa y a la ironía, intención evidente en el siguiente pasaje

125

donde Goytisolo pretende hermanar a todos los que se sien
ten como él: «la risa os servirá de ballesta con su ayuda co
rrosiva y feroz, deshincharéis la fatuidad de los globos y ex
pondréis su mezquino e irrisorio temor a las realidades de
mundo» (pág. 88).

El contraste de elementos en *Juan sin tierra* y la ausencia
de un argumento ordenado en forma cronológica y tradicional
son características del texto satírico. Segmentos cortos, con
trastados a veces, e interpolados en un texto mayor formar
la estructura de la obra satírica. Leonard Feinberg dice que
el escritor satírico «uses all the standard comic devices, plus
a number of variations of wit which are more suitable fo
satire than for uncritical humor. Because he wants to please
the mind —the intellect tires more rapidly than the heart—
by splitting up satiric material into short units and interpola
ting other appels between these units». [57] Las posibilidade
que ofrece la flexibilidad de la estructura del texto satírico e
ideal para el propósito de Goytisolo ya que él no sólo busca
presentar una visión irónica de la sociedad y sus convencio
nes, sino que también pretende desprenderse de los viejos con
ceptos literarios que impiden el avance de la creación artís
tica. Para esto busca su inspiración en Cervantes quien logró
presentar en *El Quijote* un catálogo de las diferentes formas
literarias de su tiempo combinándolas, contrastándolas y, a
veces, destruyéndolas en nombre de un nueva realidad litera
ria. Esta es la misma técnica que Goytisolo sigue en un pasaje
del texto donde el personaje asiste a una entrevista con Pierre
Loti mientras éste expone sus teorías sobre el realismo litera
rio. Al salir de allí se encuentra con dos mozas, evidentemente
sacadas de un texto pastoril cervantino, y prosiguen al entie
rro de un joven escritor. Encuentran, por casualidad, el último
manuscrito del finado y leen —interpolando otro pasaje más—
el capítulo XVII titulado «Donde se describe el puerto de
Toledo con otros pormenores necesarios a la comprensión de
esta verídica historia». El mensaje de este trozo es evidente
Goytisolo trata de destruir el concepto de homogeneidad de
la obra literaria al mezclar y barajar personajes y situacione
de distintos período y estilos. En la ya citada entrevista con
Julio Ortega, Goytisolo marca la pauta que ha seguido para la

composición de este pasaje. Dice que «para calibrar la auda-
cia libérrima del juego cervantino de mezclar en una misma
escena personajes que corresponden a verosímiles opuestos,
habría que imaginar... una película en la que un héroe típico
del Far-Wast... tropezara, digamos, con Dillinger o Al Capo-
ne... y fueran a ver juntos un film de Frankestein protagoni-
zado por Boris Karloff». [58]

El escritor satírico busca en el lenguaje el vehículo para
expresar su visión ridícula del mundo. Con Varrón comenzó el
empleo de neologismos, juegos de palabras o inclusive la adop-
ción de palabras y expresiones extranjeras. [59] Estos, y otros,
son los elementos lingüísticos que abundan en *Juan sin tierra*
y que el autor emplea con eficacia y originalidad. Goytisolo
se refiere a la «Allergie Française» (pág. 93), para calificar
irónicamente las injusticias y humillaciones a que fueron sometidos los argelinos en París durante los años del movimien-
to a favor de la Argelie Française. También ridiculiza los re-
franes y clisés literarios, o bien modificándolos de modo que
pierdan por completo el poco sentido que les queda: «en país
de riegos el tuerto es ley, dice uno hasta al cuarenta del cayo
no te quites el rayo, dice otro la cerveza es la madre de todos
los quicios, dirá un tercero» (pág. 107); o bien les reintegra su
significado literal de forma que se confunda su sentido propio
con el figurado. Al parecer, el carácter líquido y proteico de
las palabras resalta en la forma de emplearlas y no en el sentido restringido que la gente pretenda darles. Esta idea se
manifiesta en un largo y original diálogo al final del texto entre el discípulo del doctor Vosk, eminente psiquiatra especia-
lista en la cura de escritores «raros», y el paciente que sufre
de la anomalía literaria. Reproduciremos solamente algunos
pasajes para que el lector observe la técnica del *reductio ad
absurdum* que utiliza Goytisolo. Hay muchas variaciones de
este recurso satírico que, en su forma más generalizada, consiste en aceptar una idea y expresar lo absurdo de ella llevando a extremos el planteamiento ridículo en que se fundamenta. [60] Goytisolo ataca la falta de originalidad del clisé lingüístico aceptándolo en su valor literal:

127

tonterías, dirá él : yo me refiero a sus respuestas al test y us-
ted se sale por peteneras
¿prefiere usted las seguidillas?, preguntarás tú
¡no, no y no! gritará él : ¡así no hay forma de ponerse acuer-
do! : ¡desde hace un minuto estoy tratando de explicarle que
hablamos en lenguajes diferentes! : ¿puede decirme usted qué
mosca le ha picado?
la común, la tsé-tsé o la de la carne, dirás tú
estoy devanándome los sesos para que usted comprenda, bal-
buceará él sin concluir aparentemente la frase
no se los devane usted del todo, dirás tú : a lo mejor se le
acaba el ovillo
todo esto es absurdo, dirá él : es como si usted y yo hablá-
ramos por ondas distintas : alguno le ha indispuesto contra
mí : de otro modo no me lo explico : ¡sí, aquí hay gato ence-
rrado!
pobrecillo, dirás tú : ¿no hay medio de que podamos soltarlo?
(pág. 303).

La técnica de reducción a lo absurdo es aún más efectiva
en el plano ideológico que en el lingüístico. La religión es una
de los blancos favoritos de Goytisolo y en gran parte del
texto de *Juan sin tierra* se ocupa de poner en ridículo la hipocresía de algunos practicantes del catolicismo. Una de las
voces de la narración se dirige a los herejes, pecadores e in-
fieles para persuadirlos de la necesidad de los autos de fe:
«pues hijitos míos, por qué creéis que os hemos ligado a la
estaca sino para redimiros mediante el sufrimiento y enseña-
ros el duro y difícil camino de la salvación cristiana? : no
maldigáis por consiguiente las penalidades que os toca vivir :
abrasado y reducido a cenizas será vuestro cuerpo : pero libre
tendréis el alma para volar, en virtud de un arrepentimiento
sincero, a la morada enterna y feliz de los escogidos : por eso
os aplicamos los tormentos del agua y cordeles, del sueño
la garrucha, el ladrillo y os hemos conducido al auto de fe
con cadenas, grillos, mordaza» (pág. 195).

El escritor satírico combina la exageración con lo grotesco
A este respecto habría que prestar especial atención a las palabras y expresiones empleadas en el texto puesto que el autor

satírico no sólo emplea vocablos de gran calidad descriptiva, sino que también recurre a palabras y expresiones chocantes que llegan a producir asco y repulsión. Según Feinberg, «the vehemence of protesque satire sometimes makes squeamish audiences feel that the satirist is stepping beyond the boundaries of good taste. He often is». [61] Una de las razones por el uso exagerado de lo grotesco y chocante es que el escritor satírico percibe la fealdad y discordancia de la situación en una forma tan intensa que solamente una reacción violenta de igual magnitud resulta posible. Wolfgang Kayser cita como elementos grotescos el empleo de monstruos, insectos, animales siniestros, plantas devoradoras, personajes caricaturizados y otras características secundarias que dan a la obra la impresión de fantasía o locura. [62] Feinberg añade el interés en lo escatológico y cita «the preoccupation with filth and deformity, excrement and ugliness» como características de las sátiras de Swift, Rabelais, West and Grass. [63]

Los elementos grotescos de *Juan sin tierra* se agrupan alrededor de lo escatológico y lo sexual, y también se evidencia en las referencias a animales monstruosos e insectos, de forma que, aunque tomemos como punto de referencia los tres grupos mencionados, se yuxtaponen y combinan quedando casi siempre vinculados en el plano satírico. En un pasaje del texto, la voz narradora presenta el cuadro de King-Kong, subido en el edificio del Empire State, tratando inútilmente —debido a la física imposibilidad de su tamaño, y no por falta de deseo de sus víctimas— de copular con raptadas doncellas, retando a las fuerzas del orden público y creando pánico y confusión. El personaje (Goytisolo) a quien se dirige la voz se identifica con esta escena: «inspirado por la grandiosa majestad de King-Kong, cantarás a partir de ahora lo indecible, aberrante y enorme : sacando a la diáfana luz del día los monstruos que aterrorizan las mentes mezquinas durante el sueño de la razón : cópula infame, seminal derroche que aúna la azarosa conjugación de los cuerpos en pródiga y exaltante consunción común!» (pág. 78).

El sentido de este pasaje se amplía al compararlo con la escena que le precede. Allí, en un lenguaje irónico que combina humor y pena, se describe el acto sexual de la Parejita

Reproductora que, debido a los cánones religiosos, busca la reproducción de la especie antes que el placer sexual. Aquí Goytisolo presenta una actitud hacia el sexo completamente opuesta a la esbozada en el episodio de King-Kong. Ahora, su propia voz le hace ver que «el tibio amor productivo te llena irremediablemente de tedio y ensalzarás sin remordimiento ni escrúpulos el placer solitario y baldío, el nefando, el insólito, el ilegal» (pág. 77). La sátira, más que contra el sexo normal y reproductor, se dirige contra la actitud que concibe como anormal cualquier otra manifestación sexual que no se base en la doctrina del «creced y reproducíos». Goytisolo recurre a la exageración de elementos grotescos con el afán de provocar asombro y repulsión. De esta forma puede sentirse como el King-Kong destructor de convenciones sociales. Semejante actitud es la que prevalece en los pasajes de Changó y Queen-Kong quienes son violadas, no en sus órganos sexuales femeninos, sino en cópula anal que satisface el impulso antiprocreador y sodomita del violador. Este interés en presentar aspectos violentos, chocantes y anómalos de un sexo baldío en términos reproductivos, se evidencia también en el abrazo homosexual del personaje con uno de los mendigos más abyectos del zoco. Este es un individuo que «no llega quizás a la treintena, pero las plagas y enfermedades propias de una pobreza extrema han estigmatizado su persona con las señales indelebles de la decrepitud : su cráneo rasurado es una llaga viva, costras purulentas y bubas emergen entre vellones de una barba grisácea sin afeitar : la sífilis hereditaria le ha privado tempranamente de la vista y los cornetes y alas de la nariz, y sus propios vestidos harapientos cubren apenas las cicatrices y heridas antiguas que se extienden del cuello hasta el empeine del pie» (pág. 64).

Además de monstruos, simios u ofidios, también los insectos aparecen dentro de un contexto satírico grotesco. Hay un pasaje en el texto donde los insectos impugnan la superioridad de los hombres debido a que éstos, a diferencia de ellos, se dejan llevar por ideas o doctrinas que restringen su propia libertad de acción. Paradójicamente, el hombre llega a creer que ocupa el lugar más alto de la escala zoológica cuando en realidad ocurre lo contrario. Los insectos parasitarios expo-

nen la libertad que ellos tienen para vivir en cualquier parte
del cuerpo humano, copulando cuando lo desean, nutriéndo-
se de la sangre humana y depositando sus excreciones donde
lo creen conveniente. El hombre, por otra parte, está sujeto
a las reglas que le impone la sociedad, reglas que se traducen
en dogmas religiosos o morales que son, a fin de cuentas,
creados por el hombre para el hombre, sujetos al arbitrio humano y no divino. Los insectos explican irónicamente la hipocresía de los sacerdotes que tratan de someter al hombre mediante la idea del paraíso eterno cuando «también ellos se
dejan explotar por nosotros y, en el arcano y puridad del sanc-
tasanctorum, descubren ignominiosamente sus asentaderas como los morenos desplusvaliados de la zanja común en contacto directo con la visceral emanación.

> *plebeya, la materia burda, el desahogo ruin*
> *reyes y señores, los hombres?*
> *¡por favor, no nos hagan reír!*» (pág. 174).

Esto nos lleva a la función del acto de la defecación como
motivo satírico por execelencia del texto. Este acto es simbólico y refleja la disposición natural del hombre al mal, o
por lo menos, a lo que siendo necesario y común al hombre,
no es aceptado abiertamente por la norma común. Una de las
voces del texto establece este paralelismo cuando dice: «sabido es que en un punto animales y humanos son netamente
inferiores a plantas y árboles: en que las superfluidades de
éstos son deleitosas y amenas mientras que la de los bípedos
y cuadrúpedos son nauseabundas y abominables: y si los primeros nos satisfacen y atraen con el aroma y sabor de sus
frutos, ¿a quién agradará, sino al diablo, el sórdido y horri-
ble engendro de las entrañas animales y humanas? : ¡éste es
el quid del problema!» (pág. 209).

La constante referencia al acto de defecar es, pues, de carácter irónico-alegórico. La voz que se oye en este pasaje trata de establecer una diferencia entre las personas de promi-
nencia social, religiosa o política y el resto del vulgo. Este tiene que aceptar la necesidad fisiológica de la evacuación intes-
tinal, mientras que aquéllos, según dicen, han podido subli-

marla. La meta del hombre, pues, ha de ser, como indica en cierta parte del texto el padre Vosk, dejar de cagar. Esta posición, claro está, es ridícula porque niega el concepto más elemental de la fisiología. Mediante el contraste irónico que establece en el texto, Goytisolo parece indicar que resulta igualmente ridículo el querer imponer al hombre normas de conducta que impidan su propensión natural a la expresión y satisfacción personal, por apartada que ésta se encuentre de la norma común. El paralelismo es extremista y exagerado pero, como hemos dicho, estos elementos son esenciales en el texto satírico.

Goytisolo se rebela contra todo lo que sea obligatorio o autoritario. Hay un pasaje en el texto donde el autor satiriza la imposición de ciertas normas morales y sociales, y los excesos de regímenes totalitarios en la aplicación del culto a la personalidad del líder. Se describe entonces una sociedad donde queda «suprimida la anterior división entre la cara y el culo, ¡proceso sublimatorio completo!... cuerpos ni gozadores ni gozados, privados del negrísimo horado y de su infame uso : en la meliflua postal en color de las presentes utopías sin culo : marea infinita de rostros que ríen, cantan, escuchan, recitan las obras del jefe, pero no joden ni cagan, no empalman, no expelen : ciegos del ojo inferior y más útil : despojados del denominador común, radicalmente genérico, que iguala a los hombres y niega su jerarquía mendaz» (página 233). En otra variación del mismo tema Goytisolo satiriza la imposición dogmática de la religión como forma de refrenar la inclinación natural del hombre a lo pecaminoso. El texto se presenta en forma de un diálogo en el que el padre Vosk urge, con tonalidades de sermón eclesiástico, a que el hombre renuncie al acto de la defecación —o sea, al pecado— y vuelva a la senda de aceptación y obediencia que lo conduce a Dios. El hombre, por su parte, se queja de la imposibilidad de vencer la tentación porque «el diablo nos tira por el ojo nefando... y nos aleja del amor a Dios» (pág. 217). El padre Vosk responde que es necesario seguir la lucha con la esperanza de que «un día cualquiera, inopinadamente, acaecerá el milagro : ¡dejarás de cagar!» (pág. 217).

Por último, Goytisolo se rebela imponiendo su propia visión social donde el individuo se desenvuelva de forma que pueda existir con «cara y culo parejos, libres y descubiertos, utopía de un mundo complejo, sin asepsia ni ocultación : mundo en que la curva descarada, afrentosa, que pregona su vil parentesco con la inmunda materia, brinque de la antigua dotación del ingenio a la suprema dirección del batey : paraíso, el tuyo, con culo y con falo, donde un lenguaje-metáfora subyugue el objeto al verbo y, liberadas de sus mazmorras y grillos, las palabras al fin, las traidoras, esquivas palabras, vibren, dancen, copulen, se encueren y cobren cuerpo» (pág. 234).

Detengámonos ahora en las caracterizaciones, si es que así podemos llamarlas, de *Juan sin tierra*. Los personajes de textos satíricos se diferencian de los personajes de novelas en que no reciben una forma de caracterización tan detallada o profunda. Es un axioma aceptado por la crítica literaria que la sátira y la comedia se ocupa de tipos mientras que la tragedia, y recordemos la afinidad de ésta con la novela, se ocupa de individuos. [64] En *Juan sin tierra* los personajes se reducen a voces que reflejan, mediante contrastes irónicos, lo absurdo de la situación que plantean o la hipocresía de su raciocinio. Así, al principio del texto se escucha la voz del capellán del ingenio de Cruces, en Cuba, donde la familia Mendiola y Montalvo vivía durante la época de la colonia. El capellán se dirige a los negros esclavos y los recrimina por dedicarse a la fornicación después de largas horas de trabajo, en lugar de irse a descansar y disponerse a la faena del día siguiente. Los dueños del ingenio son católicos, pero tienen esclavos y creen, o quieren creer, que les hacen un favor a los negros. El padre Vosk, resumiendo toda la hipocresía de este raciocinio, se pregunta si los negros saben que la esclavitud es un don del cielo y que el ocio los expone al pecado.

La poca caracterización que existe en los personajes queda reducida a la descripción de elementos grotescos: «el capellán parece a punto de asfixiarse : enrojece, transpira, jadea, lanza espumarajos de rabia : ...las expresiones brotan de su garganta con visible dificultad y, para aclararlas, las completa con gestos epilépticos y convulsos, con ademanes frenéticos de los brazos» (pág. 30).

133

El escritor satírico, además de lo grotesco y esperpéntico, se sirve de la caricatura para exagerar los aspectos negativos del personaje. Goytisolo, por su parte, emplea la caricatura más en un plano descriptivo que ideológico. Sus caricaturas son de estereotipos que inmediatamente podemos identificar por sus vestiduras o rasgos fisonómicos. La técnica consiste en centrar la atención en algunas características singulares del rostro o del cuerpo del personaje, sin entrar en más detallismo descriptivo. De esta forma, pues, los rasgos y detalles que el autor esboza aparecen como magnificados en su aislamiento. Un episodio particular se refiere a un español y su esposa que, mientras paseaban detrás del autor por el Zoco Grande, tropiezan con un mendigo árabe. La mujer, asqueada, grita a su marido: «¡apártate, Paco, que te puede rozar! Te volviste a mirar a quien así hablaba, la guapaza peninsular típica hasta la náusea, vestida, acicalada, teñida, pintada con telas, perfumes, rímeles, lacas adquiridas sin duda en las boutiques de lujo del Faubourg Saint-Honoré por el marido de quijada larga, nariz borbónica, bigotico perfectamente horizontal en forma de tildes de 'eñe', ojos velados por gafas oscuras, con una gruesa montura de carey que tapaba los lados como las anteojeras de una caballería; hijos de la gran puta, pensaste» (pág. 315).[65]

Los escritores satíricos también recurren en su mayoría a introducir en sus textos un personaje ingenuo. Este, usualmente, es un producto inocente del medio que el autor quiere satirizar. Feinberg dice que este personaje, del tipo de Candide o Gulliver, es un ser inocente que viaja por el mundo sin entender la hipocresía y explotación que observa. El lector, por otra parte, teniendo una perspectiva más amplia, puede comprender la verdadera magnitud de la situación. El personaje que narra partes del texto, en uno de sus viajes, se encuentra con el coronel Vosk, un español en el que se resume la ideología de su medio. Este individuo presta gran atención al valor de las condecoraciones, se horroriza ante películas o espectáculos donde exista la más leve sugerencia sexual y, por último, alaba el elevado grado de madurez política de un pueblo que, sabiendo la muerte —ya sea de hecho o figurada— de su dirigente, se comporta como si éste todavía estuviera vivo. Al fin se despide de su interlocutor y, con gran gesto, le desposita en la mano una de sus medallas. El paralelo que existe con el militarismo y la situación general de España es evidente. No podemos sentir más que lástima y desesperanza ante la poca profundidad mental que la actitud de este personaje revela.

Los personajes de *Juan sin tierra* se apartan por completo de los cánones del realismo literario. Al detallismo descriptivo de rasgos fisonómicos Goytisolo contrapone la presentación de una actitud mental, y arremete contra el objetivismo de la narración realista con toda la fuerza de su subjetividad.

En *Juan sin tierra* nos encontramos frente a un texto literario que se fundamenta en la tradición literaria de la sátira y de la confesión. El libro es un gran laberinto de múltiples vericuetos donde a cada momento encontramos algún elemento asombroso o vulgar, agradable o repugnante. Si hay algo que da unidad a esta obra, indudablemente compleja y sugerente, es el tono sarcástico-irónico de sus múltiples contrastes y la poderosa subjetividad del autor. Después de un texto semejante cabe preguntarnos, ¿ha llegado Goytisolo al fin de su carrera? El cree que sí. En la citada entrevista con Julio Ortega, ocurrida cuando todavía trabajaba en esta obra, Goytisolo dice: «Concibo *Juan sin tierra* como una obra última, el *finis terrae* de mi propia escritura. En cualquier caso, trabajo en ella como si en adelante no hubiera de volver a escribir más, dinamitando detrás todos los puentes y cortándome todos los caminos de retirada». [66] La certeza de Goytisolo respecto a su fin como hombre de letras nos parece dudosa. No podemos concebir que un escritor tan prolífico y tan comprometido en el arte de la creación literaria se resigne a la inactividad. Además, su nueva proyección literaria —subjetiva y catártica— seguramente lo empujará a continuar una obra donde pueda desnudarse psicológicamente. Aquí, posiblemente, radica el problema que Goytisolo tendrá que resolver pues el autor que reincide en temas literarios una vez que han sido tratados a plenitud —y nos parece que la repetición de fantasías personales y problemas emocionales de un autor es uno de estos casos— termina cansando al público. Por otra parte, Goytisolo indica explícitamente en *Juan sin tierra* que el que su obra tenga o no lectores, le interesa poco. De ser así, su problema, si es que existía, ha quedado resuelto. El texto literario entonces será un hermético eslabón entre él y su psique.

Queremos concluir diciendo que la función del crítico, al menos como nosotros la concebimos, no es vaticinar lo que pueda ocurrir, ni predecir el valor literario de un texto futuro. Esperemos, pues, la próxima obra que Goytisolo probablemente produzca.

NOTAS

1. Pablo Gil Casado, *La novela social española* (Barcelona, 1968), pág. 296.

2. Jaime Torres Bodet, *Tiempo y memoria en la obra de Proust* (México, 1967), pág. 37.

3. Juan Goytisolo, *Señas de identidad* (México, 1969), pág. 54. Citaré de esta edición indicando los números de las páginas, entre paréntesis, en el texto. La primera edición fue publicada en 1966 por la Editorial Joaquín Mortiz. La segunda edición fue publicada, por la misma editorial, el 17 de agosto de 1969 y es la edición que empleamos aquí.

4. Gil Casado, pág. 297.

5. Gustavo Sáinz, «La denuncia de España en Juan Goytisolo», *Siempre*, núm. 703 (diciembre 14, 1966), 10.

6. Gil Casado, pág. 297.

7. Ramón Buckley, *Problemas formales en la novela española contemporánea* (Barcelona, 1968), pág. 211.

8. Andrés Amorós, *Introducción a la novela contemporánea* (Salamanca, 1966), pág. 57.

9. Emir Rodríguez Monegal, «Destrucción de la España sagrada. Diálogo con Juan Goytisolo», *Mundo Nuevo*, núm. 12 (junio, 1967), 55.

10. Carlos Fuentes, «Juan Goytisolo: la lengua común», en *La nueva novela hispanoamericana* (México, 1969), pág. 79.

11. Rodríguez Monegal, pág. 55.

12. *Ibid.*, pág. 59.

13. Alberto Díaz Lastra, «La nueva época literaria de España», *Siempre*, núm. 718 (marzo 29, 1967), 9.

14. *Ibid.*, pág. 9.

15. Rodríguez Monegal, pág. 54.

16. *Ibid.*, pág. 54.

17. Sáinz, pág. 10. Los elementos autobiográficos que cita este crítico son en realidad muy pocos. No obstante, es innegable que el autor ha volcado en Alvaro mucho de sí mismo. Sobre este personaje el propio Goytisolo ha dicho que «es autobiográfico en la medida en que cuando trato algo, describo medios, lugares, situaciones que conozco. Hay elementos que coinciden. Aunque los personajes sean más bien combinaciones de otros personajes reales. El arranque de la novela, lo que yo llamo las 'voces', está tomado íntegramente de los piropos que me ha dedicado durante algunos años la prensa española». Díaz Lastra, pág. 8.

18. Díaz Lastra, pág 8.

19. *Ibid.*, pág. 9.

20. José Domingo, «La última novela de Juan Goytisolo», *Insula*, XXIII, núm. 248-249 (julio-agosto, 1967), 13.

21. Sergei M. Eisenstein, «Synchronization of Senses», en *The Film Sense*, ed. y trad. Jay Leyda (New York, 1947), págs. 69-109.

22. Para un tratamiento elaborado sobre este asunto, véase: Raymond Spottiswoode, «Technique of the Film: 2. Synthesis», en *A Grammar of the Film* (Berkeley, 1967), págs. 197-274.

23. *Ibid.*, «Definitions», pág. 51.

24. Juan Goytisolo, «Literatura y eutanasia», en *El furgón de cola* (París, 1967), pág. 53.

25. Díaz Lastra, pág. 9.

26. *Ibid.*, pág. 9.

27. *Ibid.*, pág. 9.

28. México: Joaquín Mortiz, 1970. Citaré de esta edición indicando los números de las páginas al final del texto.

29. La actitud que se destila de este pasaje se puede relacionar con la del personaje-víctima que aparece repetidas veces en las primeras novelas del autor. Ramón Buckley establece una conexión entre este personaje y el aspecto mítico-simbólico de su sacrificio como ofrenda para que se realice un deseo. Véase, *Problemas formales en la novela española contemporánea*, págs. 162-172.

30. «El lenguaje de Juan Goytisolo», *Cuadernos Americanos*, XXIX (noviembre-diciembre, 1970), 169.

31. *Ibid.*, pág. 179.

32. Este tema o deseo reprimido del protagonista aparece también en *Señas de identidad*. Alvaro, al dialogar consigo mismo, dice: «Aproximarte a la cama de Dolores, oír su respiración, palpar su cuerpo, deslizar los labios sobre su vientre, bajar al sexo, demorarte en él, buscar un refugio, perderte en su hondura, reintegrar tu prehistoria materna y fetal» (pág. 158).

33. Buckley, pág. 163.

34. C. S. Lewis, *An Experiment in Criticism* (London: Cambridge University Press, 1961), págs. 50-56.

35. Habría que relacionar esta actitud con la de un personaje arquetípico y recurrente en la novelística de Goytisolo. Nos referimos al personaje fabulador, evasionista y proteico, encarnado en las figuras de Tánger, Gorila, Pira y otros.

36. *Mito, literatura y realidad* (Madrid: Gredos, 1965), pág. 217.

37. No hay en la obra episodios personales, únicos y específicos que puedan asociarse, directamente, con la fantasía lingüística y senequista de que vamos a hablar. No obstante, la actitud del personaje sin duda obedece a una variada multitud de experiencias imposibles de identificar.

38. Durán, «El lenguaje de Juan Goytisolo», pág. 178.

39. Véase el excelente estudio de Mariano Baquero Goyanes, especialmente el capítulo XV, *Estructuras de la novela actual* (Barcelona: Planeta, 1970).

40. Díaz Lastra, «La nueva época literaria de España», pág. 9.

41. Rodríguez Monegal, pág. 55.

42. *Ibid.*, pág. 54.

43. «L'Usage des pronoms personnels dans le roman», en *Répertoire II* (Paris: Minuit, 1964), pág. 66.

44. Bernard Pingaud, «Je vous, il», *Esprit*, núm. 7-8 (julio-agosto, 1958), 98.

45. Ernest Cassirer, *The Philosophy of Symbolic Forms*, 3 tomos. Cito del tomo II, *Mythical Thought* (New Haven: Yale University Press, 1955), pág. 175.

46. Norman Friedman, «Point of View in Fiction: The Development of a Critical Concept», en *The Novel: Modern Essays in Criticism*, Robert Murray Davis, editor (New Jersey: Prentice Hall, 1969), págs. 142-169. Tomando como punto de partida la presencia del autor en la narración, y la posición del narrador, o su ausencia, respecto al ángulo

o enfoque narrativo, Friedman explica que el punto de vista puede resumirse al siguiente esquema: omnisciencia editorializante, omnisciencia neutral, «Yo» como testigo, «Yo» como protagonista, omnisciencia selectiva, omnisciencia selectiva múltiple y modo dramático.

47. «Vindicación de Juan Goytisolo: Reivindicación del Conde don Julián», *Insula*, XXIV, núm. 290 (enero, 1971), 4.

48. Alberto Díaz Lastra, «Entrevista con Juan Goytisolo», *Margen*, núm. 2 (1967), 7.

49. Díaz Lastra, «La nueva época literaria de España», pág. 9. El término fue introducido por Herman Broch. Este crítico, al analizar la obra de Joyce, encuentra lo que él llama un «éclectisme créateur». Esto consiste en lograr una imagen completa de la realidad mediante la fusión de distintas técnicas y métodos narrativos. Véase, «James Joyce et le temps présent», en *Création littéraire et connaissance*», Hanna Arendt, editor (París, 1966), págs. 185-213.

50. (Barcelona: Seix Barral, S. A., 1975). Todas las citas provienen de esta edición.

51. «Entrevista con Juan Goytisolo», en *Juan Goytisolo*, editado por Julián Ríos (Madrid: Fundamentos, 1975), pág. 127.

52. Gilbert Highet, *The Anatomy of Satire* (Princeton: Princeton University Press, 1962), pág. 22.

53. Recordemos que en *Reivindicación del Conde don Julián* hay una escena semejante en la que el personaje, identificado al fin con don Julián, incita a las hordas árabes para que destruyan todo lo que sea hispano, especialmente el lenguaje. La revolución de *Juan sin tierra* va más allá en que trata de presentar una rebelión contra los valores tradicionales de la sociedad en general. Esta actitud, nos parece, está indudablemente relacionada con la forma satírica en la literatura.

54. Para Severo Sarduy, en un corto pero interesante ensayo titulado «La desterritolización», pasa desapercibida la relación que Goytisolo establece entre el sexo y la escritura. *Juan sin tierra*, dice. «es la continua exhibicón de dos actos, no del todo inconexos, que el hombre oculta: la escritura y la defecación». En *Juan Goytisolo* pág. 177. La defecación, más que relacionada con la escritura —como lo está el elemento sexual— es un motivo satírico que el autor utiliza en pasajes donde quiere mostrar algún tipo de imposición religiosa, política o de otra índole.

55. Marcel Lobet en *Ecrivans en aveu* (Bruselas: Editions Brepols, 1962), cita tres elementos esenciales de la literatura confesional: conocer la diferencia entre la conducta buena y mala, hacer énfasis en los errores y no en las cualidades, y buscar en la confesión una forma de liberación, o superación, al reconocer el escritor su verdadero «yo». Todos estos elementos se encuentran en *Juan sin tierra*. La única diferencia es que Goytisolo no juzga su conducta en términos morales de bueno o malo. El considera su conducta como anómala, esto es, desviada de una norma social que le parece restringida.

56. Highet, págs. 15-23.

57. *Introduction to Satire* (Ames: Iowa State University Press, 1967), pág. 85.

58. *Juan Goytisolo*, pág. 122.

59. Ulrich Knoche, *Roman Satire* (Bloomington: Indiana Universtiy Press, 1957), página 309.

60. Feinberg, pág. 112.

61. *Ibid.*, pág. 64.

62. *The Grotesque in Art and Literature* (Gloucester, Mass.: Peter Smith, 1968), págs. 179-189.

63. Feinberg, págs. 70-71.

64. *Ibid.*, pág. 231.

65. Este pasaje ilumina el significado del abrazo homosexual entre el personaje y el mendigo asqueroso. Esta fantasía homosexual es una forma de venganza literaria en la que Goytisolo pretende mostrar su desdén por la actitud de la pareja española —y por individuos de semejante forma de pensar— al tratar de repugnarlos en la forma más grotesca posible.

66. *Juan Goytisolo*, pág. 128.

CONCLUSION

Al estudiar y comparar el desarrollo de Juan Goytisolo como escritor y crítico literario podemos apreciar una madurez progresiva en el criterio literario del autor.

En sus primeros artículos Goytisolo preconizaba una objetividad total en la obra literaria, atacaba la novela psicológica-intelectual y proponía un realismo basado en la tradición novelística española, y enriquecido por corrientes narrativas extranjeras. Por otra parte, aceptaba la imposibilidad de lograr una objetividad completa y proponía un tipo de prosa poética en la que el novelista pudiese presentar una visión estética y personal de la realidad. También vimos que defendía la posición del escritor comprometido al tratar de supeditar la novela a una función de denuncia social.

Las limitaciones y parcialismos de *Problemas de la novela* aparecen superados en los artículos de *El furgón de cola* y en otros ensayos más recientes. En sus últimos artículos el autor refleja una actitud iconoclasta en sus ideas político-sociales y en su rechazo de varios aspectos de la tradición literaria española. Si en sus primeros escritos Goytisolo proponía subordinar el tema literario al método narrativo, ahora piensa que el tema determina el método y que el escritor necesita buscar una solución al conflicto entre el compromiso literario y el compromiso político. Según Goytisolo, el novelista no debe olvidarse de que, ante todo, es escritor y como tal se debe a la obra literaria. Es por esto que en *El furgón de cola* y en sus ensayos posteriores trata de establecer las guías para la creación de una nueva novela. Así, rechaza la sistematización del método objetivo, propone una experimentación con las formas lingüísticas, y acepta que toda novela contemporánea debe poseer un alto grado de subjetividad e ironía.

Al estudiar la evolución literaria de Juan Goytisolo hemos notado grandes semejanzas con el desarrollo de sus teorías y postulados. Dentro de los cuatro períodos en que dividimos su obra encontramos dos tendencias paralelas a los criterios que formula en sus ensayos sobre crítica literaria. Por una parte, observamos un marcado interés por el objetivismo en las novelas de los tres primeros períodos. Por la otra, encontramos el período experimental de *Señas de identidad* (1966), caracterizado por el afán de lograr una imagen total de la realidad mediante lo que el autor llama «eclecticismo creador».

El objetivismo que persigue Goytisolo en sus primeras obras fracasa ante su natural subjetividad e imaginación poética, y ante la repetición anecdótica de sus narraciones, especialmente en las novelas de los dos primeros períodos donde encontramos una reiteración de situaciones y personajes. La estampa del jefe del grupo es una de estas figuras arquetípicas. Surge en la caracterización de Agustín Mendoza en *Juegos de manos* (1954), aparece de nuevo en *Duelo en El Paraíso* (1955) personificada en El Arquero, sigue con Atila en *El circo* (1957), y reaparece más tarde en el Metralla de *La resaca* (1958). Todos estos personajes se asemejan extraordinariamente en su forma de rebelarse contra la sociedad y contra la ley. Cada uno de ellos asume la dirigencia de un grupo con el propósito de convertir en realidad alguna ilusión personal. Así, Agustín sueña con el anarquismo de una sociedad futura; Arquero con la ciudad dominada por niños; Atila con una posición social acomodada, y Metralla con viajes y aventuras en lugares desconocidos. Estos individuos son producto, en la mayoría de los casos, de un ambiente de crueldad y no vacilan en llegar hasta el crimen para lograr sus propósitos.

Frente a estos tipos, en contraste a sus personalidades, se alza otra figura reiterada: la del personaje víctima. Así, David en *Juegos de manos* sucumbe a manos de Agustín; Abel en *Duelo en El Paraíso* es asesinado por El Arquero; y Antonio en *La resaca,* aunque no muere físicamente, pierde todas sus lusiones infantiles al ser engañado miserablemente por Meralla.

El tema de la niñez, o mejor aún, de la inocencia perdida, también aparece con frecuencia en las novelas de los dos primeros períodos. Ya hemos mencionado algunos personajes, niños y adolescentes, que pierden su vida o su visión infantil de la realidad. En *Fiestas* hay dos personajes que sufren esta pérdida. Pipo, al final de la obra, tiene que enfrentarse a la triste realidad del ambiente que lo fuerza a madurar antes de tiempo. Pira, la niña soñadora, perece a manos de un mendigo mientras viajaba a Roma para reunirse con el padre que nunca conoció. En *El circo* encontramos una pequeña variación del mismo tema. Utah, el protagonista, es un adulto pero psicológicamente se comporta como un niño y termina atrapado en la trampa que le tiende la sociedad y su propia fantasía.

Otra figura arquetípica, personificada en el Ortega de *Fiestas* y el Giner de *La resaca,* es la del intelectual. Ambos individuos se asemejan extraordinariamente en su preocupación por los problemas sociales, en su disposición para el sacrificio y en su deseo de lograr la unidad obrera por medio de los sindicatos. A través de estos dos personajes Goytisolo introduce un nuevo tema: la injusticia social. Tanto Ortega como Giner se preocupan sinceramente por las miserables condiciones en que viven los obreros y murcianos. Lamentablemente, el interés de estos dos individuos por los problemas sociales choca con la apatía de los grupos religiosos y de las clases altas.

El personaje evasionista también aparece repetidamente en las primeras novelas de Goytisolo. Excepto en *El circo,* siempre aparece como una figura secundaria que trata de evadir la realidad a través de la fantasía o la locura. Así, Uribe, en *Juegos de manos,* busca el escape en el alcohol. Doña Estanislaa, en *Duelo en El Paraíso,* rehusa aceptar la muerte de sus hijos y la infidelidad de su esposo refugiándose en un mundo de locura y fantasía. El Gorila, en *Fiestas,* mezcla lo real y lo imaginario en las numerosas anécdotas que cuenta sobre su vida. De la misma forma, Pira también inventa historias sobre su pasado. En *El circo* aparecen otros dos personajes evasionistas. Utah vive rodeado de poesía y de máscaras con las que trata de ocultar su fracaso personal. Por otra parte, la señorita Flora, agobiada por una enorme frustración sexual, trata de compensar su problema inventando historias de hombres que la persiguen sexualmente. Todos estos personajes viven martirizados por un algo que los imposibilita a adaptarse al ambiente en que viven. Cada uno de ellos es víctima de un problema psicológico del que tratan desesperadamente de escapar.

A partir de la publicación de *La isla* (1961), Goytisolo busca con más ahínco la objetividad narrativa que postulaba en *Problemas de la novela*. Para ello se ausenta de la narración y deja que sea un personaje el que cuente la historia. Este narrador no comenta, sino que se limita a presentar los hechos tal y como ocurren dejando al lector la libertad de juzgar las acciones de los personajes. Aún así, en *La isla* el autor no logra alcanzar la objetividad que desea. En primer lugar, la anécdota está presentada a través de Claudia de forma que el enfoque de la narración se limita a la subjetividad del personaje. Por otra parte, Goytisolo también recurre al psicologismo que tanto ataca al hacer que Claudia analice su vida y las relaciones matrimoniales con su esposo.

En esta obra, mediante un consciente esfuerzo por dominar su natural tendencia subjetiva, Goytisolo logra producir su mejor novela objetivista. No obstante, nos encontramos ante una narración en la que sólo observamos una acumulación de detalles y de hechos a través de los cuales el autor no llega a mostrar una verdadera visión del ambiente que presenta. La perspectiva y las caracterizaciones de *La isla* son discutibles y, en nuestra opinión, bastante incompletas. Es de suponer que la burguesía corrompida que el autor nos presenta tenga, además de las perversiones sexuales y las divagaciones alcohólicas, intereses y motivaciones de otros tipos. Desde este punto de vista *La isla* muestra una visión parcial y engañosa de la sociedad.

En todas las novelas anteriores a *La isla* Goytisolo trata de presentar una visión objetiva de la realidad pero, debido a subjetivismo que vuelca en las narraciones, siempre sale derrotado en su propósito objetivista. Su prodigiosa fantasía está en constante pugna con su intención objetiva. Por esto

142

n lugar de presentarnos la vida tal cual es, pasa a ofrecernos una visión personalísima de la realidad. En otras ocasiones Goytisolo se aleja de toda pretensión objetiva y deja que el lirismo se apodere de la narración. Tal es el caso de casi todos os personajes evasionistas, en especial doña Estanislaa, Pira y Utah.

En *Señas de identidad* (1966), en *Reivindicación del Conde don Julián* (1970) y en *Juan sin tierra* (1975), Goytisolo encuentra su propia personalidad literaria alejándose de las limitaciones a que lo sujetaba el objetivismo. En estas novelas el autor cumple los postulados literarios que enunció en *El furgón de cola* y desarrolló más tarde. Por una parte, acepta la subjetividad del escritor y busca una solución al conflicto entre el compromiso político y el literario. Por otra parte, eleva a experimentación lingüística a sus más altos niveles, y persigue una eclosión de distintas técnicas y métodos narrativos que le permita sugerir al lector los múltiples aspectos de la realidad.

Cabe ahora desarrollar un poco más el carácter subjetivo y catártico que encontramos en la reiteración de algunos personajes goytisolianos.

Mucho se ha escrito sobre la capacidad polifacética de la personalidad. Esta característica natural del hombre se manifiesta especialmente en muchos novelistas que tienden a presentar en sus narraciones una serie de personajes recurrentes en los que se reflejan facetas de la personalidad del autor. Muchos literatos han expresado una conciencia clara de esta capacidad del escritor. Walt Whitman se refirió en varias ocasiones a las dos entidades que sentía dentro de sí. En las novelas y escritos de F. Scott Fitzgerald, Poe, Flaubert y Dostoyevski se manifiesta reiteradamente la proyección del autor en sus personajes. Wellek y Warren citan numerosas teorías psicológicas al proponer que Fausto, Mefistófeles, Werther y Wilhem Meister son proyecciones literarias de diversos aspectos del propio Goethe. Después de citar otros casos semejantes estos críticos concluyen diciendo que «the novelist's potential selves, including those selves which are viewed as evil, are all potential personae».[1] En las novelas de Goytisolo aparecen varios personajes que funcionan como dobles del autor y basaremos esta parte de nuestro trabajo en el estudio y definición que Robert Rogers ha hecho de esta técnica narrativa en su libro *A Psychoanalytic Study of the Double in Literature*.[2] Rogers parte del ya clásico estudio de Ernest Jones quien define el procedimiento de desdoblamiento (*decomposition*) como un recurso narrativo en el que «various attributes of a given person are disunited and several individuals are invented, each endowed with one group of the original attributes. In this way one person, of complex character, gets replaced by several, each of whom posseses a different aspect of the character that in a simpler form of the myth was combined in one being; usually the different individuals closely resemble one another in other respects, for instance in age».[3]

Dos cosas resultan evidentes al analizar la reiteración del doble en las novelas de Goytisolo. En primer lugar, el énfasis de esta trayectoria narrativa se orienta de lo objetivo-inconsciente a lo subjetivo-consciente. Por esto entendemos que en sus primeras novelas Goytisolo pretende circunscribirse al método objetivo sin darse cuenta que vuelca en sus personajes y situaciones gran parte de su propia personalidad. Esta tendencia de muchos novelistas ha sido certeramente comprobada en el estudio de Rogers.[4] En segundo lugar, pretendemos mostrar que la antinomia verdugo-víctima, como componentes de una misma entidad psicológica, no desaparece en las últimas novelas de Goytisolo, sino que gana una nueva dimensión. Esta radica en que el autor, consciente ahora de su conflictivo desdoblamiento, lo proyecta en la poderosa subjetividad de *Reivindicación del Conde don Julián*.

La antinomia verdugo-víctima es la más reveladora en la narrativa de Goytisolo. Por una parte, desde el punto de vista psicológico-literario, es el caso más explícito de desdoblamiento. Cada elemento del binomio representa un aspecto externo del conflicto interno del autor. El desdoblamiento puede ser de carácter objetivo o de carácter subjetivo. El desdoblamiento objetivo lleva como meta presentar las actividades antitéticas del doble con respecto a otro individuo. Este individuo o personaje actúa entonces como objeto del conflicto.[5] El desdoblamiento subjetivo, por el contrario, representa una proyección conflictiva de actitudes y orientaciones que usual

144

mente no dependen ni se relacionan con otras personas. En nuestro estudio nos limitaremos a este segundo caso.

En las novelas anteriores a *Señas de identidad* el personaje verdugo está encarnado en la figura del jefe del grupo. Surge en la caracterización de Agustín Mendoza en *Juegos de manos*, aparece de nuevo en *Duelo en El Paraíso* personificado en el Arquero, sigue con Atila en *El circo* y reaparece más tarde con Metralla en *La resaca*. Todos estos personajes se asemejan extraordinariamente en su forma de rebelarse contra la sociedad y la tradición. El elemento común de todos ellos es el ambiente de represión, social o política, en que se han criado. Esta represión produce un personaje alienado cuya única arma de combate es la agresión.

Contrastando las personalidades de estos tipos se alza la figura reiterada del personaje víctima. Así, David en *Juegos de manos* sucumbe a manos de Agustín. Abel en *Duelo en El Paraíso* es asesinado por el Arquero. Pablo y Utah en *El circo* son ambos víctimas de las acciones de Atila, al igual que Antonio en *La resaca* quien es engañado miserablemente por Metralla.

El personaje agresivo encierra la polarización del *yo* ideal en lucha constante con el *yo* real. La única forma de triunfar radica en la destrucción del personaje víctima que el personaje verdugo intenta llevar a cabo o bien de forma física, mediante el asesinato, o bien de forma moral mediante las repetidas vejaciones e insultos con que somete a su odiado *alter ego*. La destrucción de una parte del *yo* como solución al conflicto se evidencia en múltiples ocasiones. Al final de *Juegos de manos* Raúl, personaje evasionista que también funciona como doble en varias narraciones, dice: «Es como si al matar a David nos hubiésemos matado a nosotros y como si al negar a Agustín hubiésemos negado nuestra vida» (pág. 266). Todos estos dobles forman parte de una misma entidad psicológica de forma que el destruir a uno de ellos acarrea una autodestrucción. Esta es la constante que encontramos en la narrativa de Juan Goytisolo. El autor trata de eliminar su ansiedad mediante la destrucción de una de las proyecciones de su propio *yo*. El conflicto parece ser insoluble puesto que el doble que el autor trata de destruir tiene una raigambre más personal y real que la compensatoria proyección agresiva con la que el autor se identifica.

El conflicto que hemos analizado hasta ahora se traduce en un problema de identidad. Desde este punto de vista resulta altamente significativo que una de las novelas de Goytisolo se titule *Señas de identidad*.[6] Con esta obra se abre una nueva etapa en la narrativa de Goytisolo en la que el autor se aleja de su pretendido objetivismo y se dedica a buscar en su pasado en un esfuerzo que él llama «de reconstrucción y de síntesis»[7] para llegar a comprender las coordenadas de su existencia. La importancia de este cambio ha sido observada por José Ortega quien explica que «esta nueva y aparente separación del mundo y consiguiente encerramiento en la subjetividad es un intento de profundización que el autor-personaje de *Señas de identidad* realiza para sintetizar la multiplicidad de los distintos yos y así poderse enfrentar con el mundo al cual necesariamente ha de volver si desea mantener la dialecticidad del indisoluble proceso entre el yo y el mundo».[8] Si relacionamos este juicio con nuestra interpretación de la función del doble resulta evidente que la trayectoria de este recurso narrativo se dirige de lo objetivo-inconsciente a lo subjetivo-consciente. También es interesante notar que Ortega se refiere al *autor-personaje* de *Señas de identidad* estableciendo el innegable vínculo que hemos encontrado en forma menos evidente aunque no por ello menos importante, entre el autor y sus dobles de otras novelas. En *Señas de identidad* Goytisolo busca conscientemente la expresión de su subjetividad y su búsqueda lo lleva de nuevo al desdoblamiento con la diferencia que ahora participa voluntariamente en el procedimiento. En las primeras páginas de la novela Alvaro se queja de que, debido a la llegada de los visitantes que trae Dolores, no podrá perderse «en las mallas de un diálogo que te oprimía y asfixiaba, prisionero de un personaje que no eres tú, confundido con él y por él suplantado» (pág. 13).

El punto de vista en esta novela es de crucial importancia para establecer la relación entre el autor y su doble. Es precisamente ese personaje que dialoga con Alvaro y que se dirige a él familiarmente (tú) el que le da las claves de su *yo* real. El empleo de la tercera persona permite al autor objetivar al personaje y narrar sus experiencias con cierto distanciamiento. La segunda persona, por otra parte, es la más indicada para establecer la verdadera identidad del autor-personaje. La invocación al *tú* permite que el personaje llegue a niveles mentales donde existen experiencias olvidadas o reprimidas por el consciente, y que pueden ser revividas mediante las interpelaciones de ese yo interno y omnisciente que se dirige al *tú*. Ya nos hemos ocupado del análisis del punto de vista narrativo en el capítulo dedicado a las tres últimas novelas de Goytisolo.

En *Señas de identidad* asistimos al proceso de reconstrucción y de síntesis por medio del cual el personaje trata de llegar a las raíces de su propio *yo*. Ya que este yo ha sido escindido en los dobles antagónicos que hemos visto en otras novelas, parece evidente que mediante este intento de integración llegaremos también a ser testigos de las experiencias y vivencias que han creado y moldeado las actitudes del autor-personaje. A su vez, estas actitudes se condensarán en las proyecciones del personaje víctima y del personaje verdugo.

La característica predominante en el personaje víctima es su pasiva aceptación del martirio. Principalmente David y Abel,[9] y en menor escala Pablo, Utah y Antonio comparten esa pasiva actitud de recibir el martirio o la muerte como si fueran un alivio o una necesidad imperiosa de castigo. En las novelas de este grupo, especialmente en las dos primeras, tenemos la impresión de que la víctima espera ansiosamente la llegada del martirio o sacrificio que pondrá fin a su conflicto y ansiedad. Esta predisposición al sufrimiento tiene una raíz doble. En *Señas de identidad* el yo se dirige al tú para recordarle su actitud respecto a las biografías de santos que su institutriz, la señorita Lourdes, le hacía leer: «Tú admirabas, celoso, la sincronizante precisión de aquellas vidas cimeras que tan cruelmente contrastaba con la rutina y vacuidad de la tuya, soñando, a falta de la suspirada aparición, en la maligna enfermedad que pudiera ponerte a prueba o en el codiciable y espectacular martirio» (pág. 24).

La aceptación del martirio también se explica desde un plano psicológico-social. A medida que Alvaro profundiza en la búsqueda de su identidad va desarrollando una conciencia de su clase social, del grupo al que él y su familia pertenecen. El contacto con el profesor Ayuso lo hace darse cuenta de muchas injusticias sociales e identificarse con los elementos de izquierda. Aún así, como bien explica Reed Anderson, durante este período Alvaro «remains essentially an observer, however, but increasingly drawn to a search for some kind of personal involvement and commitment, for some channel through which to express his opposition to Spain's established order». [10] Al adquirir esta nueva conciencia Alvaro también desarrolla un sentimiento de culpa que se manifiesta en numerosas formas. Principalmente se culpa por pertenecer a un grupo social con el que quiere desatenderse y al que considera injusto. Por otra parte, su nueva conciencia lo mueve a la acción al mismo tiempo que se siente refrenado en su intento. El conflicto lo mantiene en un estado de inercia que multiplica su culpa y su ansiedad. Estos son los sentimientos que Goytisolo proyectó en su personaje víctima. [11]

Para llegar a una mejor comprensión de la antinomia evidente en la caracterización del personaje verdugo y del personaje víctima, y de la relación de ambos como dobles del autor, cabría remontarnos al episodio de la amistad entre Alvarito y Jerónimo, el jornalero que dejó indelebles huellas en la psique del niño. [12] Los familiares de Alvarito sospechaban de Jerónimo y creían que éste era miembro de la resistencia. Poco a poco Alvarito se iba encontrando atrapado en las redes del conflicto. A veces sentía miedo ante la posibilidad de que Jerónimo —como decía su familia— fuese en realidad un personaje maquiavélico y asesino. El niño entonces soñaba frecuentemente con su muerte a manos de Jerónimo: «El verdugo que llegada la hora te ejecutaría fríamente, ¿sería el nuevo peón?... Un día entraría en tu habitación con un cuchillo y te mataría» (pág. 44). Por otra parte, Alvarito se sentía enormemente atraído por la aureola de misterio que parecía acompañar al personaje. Paulatinamente se identificaba con él a medida que crecían su deseo de imitarlo y su duda respecto al sistema de valores que compartían los miembros de su familia: «La incertidumbre te ganaba, la desconfianza en tu mundo y sus valores celebrados» (pág. 45).

En la amistad entre Alvarito y Jerónimo está, pues, la génesis del conflicto. La identificación del niño con Jerónimo, personaje revolucionario y comprometido, y la incipiente conciencia social que más tarde moldeará el profesor Ayuso, resultarán en el personaje agresivo de las primeras novelas. A su vez, la culpa de pertenecer a esa misma clase que se quiere destruir explica la actitud de pasividad y de casi alivio que siente el personaje víctima ante la humillación o la muerte a manos del personaje agresor.

La dicotomía de ambos personajes —víctima y verdugo— como pertenecientes a una misma entidad psicológica se evidencia con mayor claridad en *Reivindicación del Conde don Julián*. Al final de la novela la duplicación del personaje se manifiesta en una doble identificación con dos personajes en pugna: «Y, al fondo, la suave melodía de la flauta que diestramente tañes tú, el encantador... y, abdicando sus buenas intenciones y propósitos, él (tú) se colará aún por la solitaria barrera, seguirá la pasadera de tablas, se detendrá ante el umbral de tu choza» (pág. 221).

La agresión del personaje verdugo —que en esta novela aparece bajo la forma de Julián, del guardián de obras o del encantador— se canaliza en la pretendida violación de la madre (símbolo de España) de Alvarito, y en la sodomización a que somete al niño. La serpiente es un símbolo bisémico que representa el elemento fálico al igual que la traición de Julián. Armado de su objeto agresivo (falo/traición) el personaje sodomiza (traiciona) a Alvarito y viola (traiciona) a la madre de éste y a lo que ella representa.

El dilema del personaje víctima se manifiesta una vez más en la conducta del personaje-niño de *Reivindicación*. Este se somete a los avances del encantador atraído por su serpiente-traición pero su sometimiento, aunque voluntario, resulta conflictivo debido a la naturaleza de sus verdaderas intenciones. Según el personaje narrador de ese pasaje el niño se somete «abdicando sus buenas intenciones», frase que indica el conflicto de querer hacer algo y no poder. En *Reivindicación del Conde don Julián* parece que tanto el personaje verdugo como el víctima ganan una nueva dimensión. En una especie de antelación a la pretendida solución del conflicto el uno se hace más agresivo en tanto que el otro parece aceptar, aún más sumisamente que antes, la inevitabilidad de su fin: «En adelante su destino está escrito y él lo sabe: soberanía robusta de la culebra y naufragio suyo, rendición absoluta, voluntaria y completa entrega a discreción» (pág. 226). Es interesante notar que ya no es el personaje verdugo el que destruye al víctima, sino que este mismo prefiere el suicidio como solución al conflicto. La desaparición de este doble permite que el personaje pueda identificarse totalmente con la agresión de Julián negando al mismo tiempo su propio pasado y una parte de su propio *yo*. Después del suicidio del niño, el personaje se siente como aliviado de haber triunfado sobre el otro elemento del binomio que lo hacía un ser monstruoso y bipartita: «Monstruo no, ni bifronte, ni hermes: tú mismo al fin, único, en el fondo de tu animalidad herida» (pág. 230). Ya no existe la duplicación conflictiva. El personaje ha podido eliminar a su otro *yo*. De ahora en adelante podrá lanzarse a la destrucción total de todos los elementos míticos que su *alter ego* representaba.

En *Señas de identidad,* testimonio indudablemente autobiográfico, Goytisolo gana conciencia de las fuerzas opuestas que han estado en juego a lo largo de su narrativa[13] y que se proyectan en la dualidad verdugo-víctima. En *Reivindicación* asistimos al intento, al menos literario, de una posible integración mediante la aceptación y afirmación de una parte de su propio *yo* —simbolizada en la identificación con el personaje agresor—, y la autodestrucción simbólica —reflejada en el suicidio del niño— de la otra parte que el autor rechaza y aborrece. *Juan sin tierra* representa una paso de avance y podríamos decir final, en esa búsqueda de la identidad social, literaria y personal del autor. En el análisis que hemos hecho de esta obra señalamos el carácter catártico de la reiteración del motivo de las serpientes. Al igual que los ofidios de la novela cambiaban de piel, Goytisolo se despoja de sus pasadas inhibiciones y falsas identidades para presentarse, aparentemente, desprovisto de lastres morales, literarios o sociales. No obstante, el carácter iconoclasta de su escritura, la reiterada y agresiva destrucción de su pasado personal y la intensa subjetividad que vuelca en su prosa indican que los verdaderos conflictos, el de Goytisolo hombre frente a sí mismo, y el de la sinceridad de Goytisolo como escritor, quedan aún por resolver. [14]

NOTAS

1. René Wellek y Austin Warren, *Theory of Literature*, 3ra. ed. (New York: Harcourt, 1956), p. 90.

2. (Detroit: Wayne State University Press, 1970).

3. «The Oedipus-Complex as an Explanation of Hamlet's Mystery: A Study in Motive», *American Journal of Psychology*, XXI (1910), 105. Este recurso narrativo fue utilizado frecuentemente por los románticos alemanes, en especial por E. T. A. Hoffman y por Jean Paul Richter quien bautizó este procedimiento con el término *doppelgänger*. Véase, Ralph Tymms, *Doubles in Literary Psychology* (Cambridge: England, 1949).

4. Hablando sobre los compañeros imaginarios que los niños crean en sus juegos, Rogers dice: «Not only does the literary artist sometimes create comparable figures, doubles for some of his characters, he often does so without knowing it. Neither he nor his reader grasps that two or more apparently autonomous characters in a story may be component portions of a psychological whole». Preface, p. VII.

5. *Ibid.*, pág. 5.

6. (México: Joaquín Mortiz, 1966).

7. *Ibid.*, pág. 165.

8. *Alienación y agresión en Señas de identidad y en Reivindicación del Conde don Julián* (New York: Torres, 1972), pág. 32.

9. Mary E. Giles traza un obvio paralelismo entre David, Agustín y Jesucristo para concluir que la novela «projects a somewhat hopeful vision of the world». Este paralelismo, dicho sea de paso, ya había sido embozado en el libro de Ramón Buckley *Problemas formales de la novela española contemporánea* (Barcelona: Península, 1968). Según Giles, esta visión esperanzadora radica en el concepto de amor que destila la obra: «Christ, David and Agustin are scapegoats who assume a collective responsibility and guilt and in so doing clarify a universal truth-that love is the value by which man can best authenticate his humanity». Véase, «Juan Goytisolo's *Juegos de manos*: An Archetypal Interpretation», *Hispania*, LVI, núm. 4 (diciembre, 1973), 1028. No pretendemos negar aquí la validez de algunos puntos desarrollados en este artículo. No obstante, queremos disentir con lo que la autora cree ser la tesis de la novela y aceptar como más adecuada la alternativa que ella misma ofrece: «One might reasonably argue that the novel offers no hope, indeed, that the scapegoat motif is no more than bitter irony». Un estudio profundo sobre la reiteración del doble en la narrativa de Juan Goytisolo podría esclarecer muchos aspectos literarios que los críticos aún no han podido dilucidar.

10. «Señas de identidad: Chronicle of Rebellion», *Journal of Spanish Studies: Twentieth Century*, II, núm. 1 (Spring, 1974), 8.

11. La ansiedad que sufre el personaje, que refleja en sí la ansiedad de Goytisolo, tiene su origen en un conflicto del tipo *Approach-Avoidance*. En este tipo de situación «the individual is simultaneously attracted and repelled by features of the same goal or object. In this type of conflict vacillation is very common». Véase, Stanley K. Fitch, *Insights into Human Behavior* (Boston: Holbrook Press, 1970), pág. 277. Este conflicto es totalmente inconsciente debido a que la expresión directa de los sentimientos o deseos del paciente usualmente encuentra la desaprobación o el castigo. Este tipo de conducta toma muchas vecse un carácter autodestructivo disfrazado bajo la forma de accidentes que analizados psicoanalíticamente muestran un deseo deliberado «on the part of the injured person to hurt himself. Of course, the injured person would deny such accusation. The need to get hurt is unconscious» (Fitch, pág. 280). El personaje víctima espera pacientemente la muerte a manos del personaje verdugo o, como veremos en *Reivindicación*, recurre al suicidio después de haberse martirizado física y moralmente.

151

12. Christian Meerts, con la ayuda del propio Goytisolo, ha estudiado los elementos reales y autobiográficos de *Señas de identidad*. A propósito de Jerónimo dice: «La figure de Jeronimo est une transformation mythique d'un ouvrier agricole anarchiste engagé par sa famille dans la période de la guerre civile comme une sorte de 'garde-du-corps' destiné à préserver la famille contre les excés revolutionnaires». *Technique et Vision dans Señas de identidad de J. Goytisolo*. (Frankfurt am Main: Vittorio Klostermann, 1972), pág. 79.

13. El uso del pronombre *yo* en las últimas páginas de la novela no es producto de la integración de otros pronombres (él y tú) como indica Reed Anderson en su ya citado artículo. Lo que tenemos aquí es una evidencia de que Goytisolo ha llegado a comprender la dualidad existente en sí mismo. Esta duplicación continúa siendo efectiva en *Reivindicación*. No podemos aceptar la idea de una integración o condensación de pronombres porque esto significaría una solución al conflicto que aún se evidencia en *Reivindicación del Conde don Julián*.

14. En un reciente artículo publicado en *Insula* Horst Rogmann se expresa con claridad y certeza al respecto. Dice que «la actividad destructora de Goytisolo resulta tan vehemente y radical porque el autor se identifica con ella, tanto que él mismo se constituye también en objeto de destrucción. Pero si la eficacia del tratamiento literario de esta materia se debe a que el escritor nutre su agresividad de las frustraciones que le han causado las circunstancias españolas, simultáneamente tiende a construir un complejo mítico por destruir, para expresar a través de él obsesiones personales o las frustraciones de un sector muy pequeño de la sociedad española, que es lo mismo, o sea, las frustraciones de un grupo de intelectuales... Análogamente, el exilio entonces, deja de ser un acto de protesta o de salvación, para transformarse en una actitud masoquista y en un puro motivo literario, que sirve para organizar alrededor de él una novela, en lugar de que la novela reproduzca la amarga necesidad de exilio de la cultura y del trabajo», núm. 359, XXXI (octubre, 1976), 12.

BIBLIOGRAFIA

I. OBRAS DE GOYTISOLO:

A. NOVELAS:

Juegos de manos. Barcelona: Destino, 1954.
Duelo en El Paraíso. Barcelona: Planeta, 1955.
El circo. Barcelona: Destino, 1957.
Fiestas. Buenos Aires: Emecé, 1958.
La resaca. París: Club del Libro Español, 1958.
La isla. Barcelona: Seix Barral, 1961.
Señas de identidad. México: Joaquín Mortiz, 1966.
Reivindicación del Conde don Julián. México: Joaquín Mortiz, 1970.
Juan sin tierra. Barcelona: Seix Barral, 1975.

B. LIBROS:

Problemas de la novela. Barcelona: Seix Barral, 1959.
Para vivir aquí. Buenos Aires: Sur, 1960.
Campos de Níjar. Barcelona: Seix Barral, 1961.
Fin de fiesta. Barcelona: Seix Barral, 1962.
La Chanca. París: Librería Española, 1962.
Pueblo en marcha; instantáneas de un viaje a Cuba. París: Librería Española, 1963.
El furgón de cola. París: Ruedo Ibérico, 1967.
Obra inglesa de José María Blanco White. Buenos Aires: Formentor, 1972.
Disidencias. Barcelona: Seix Barral, 1977.

153

II. Obras Consultadas

A. Libros:

Albérès, R. M. *Histoire du roman moderne*. París: Albin Michel, 1962.

———. *L'Aventure Intellectuelle de XXe siecle*. 3ra. ed. París: Albin Michel, 1963.

Alborg, Juan Luis. *Hora actual de la novela española*. 2 tomos. Madrid: Taurus, 1958.

Amorós, Andrés. *Introducción a la novela contemporánea*. Salamanca: Anaya, 1966.

Anderson Imbert, Enrique. *La crítica literaria contemporánea*. Buenos Aires: Gure, 1957.

Auerbach, Erich. *Mimesis: The Representation of Reality in Western Literature*. New York: Doubleday, 1957.

Baquero Goyanes, Mariano. *Proceso de la novela actual*. Madrid: Rialp, 1963.

———. *Estructuras de la novela actual*. Barcelona: Planeta, 1970.

Beach, Joseph Warren. *The Twentieth Century Novel: Studies in Technique*. New York: Appleton 1932.

Bentley, Phyllis Eleanor. *Some Observations on the Art of the Narrative*. New York: Macmillan, 1947.

Booth, Wayne C. *The Rethoric of Fiction*. Chicago: University of Chicago Press, 1961.

Broch, Herman. *Création littéraire et connaissance*. París: Gallimard, 1966.

Brown, E. K. *Rhythm in the Novel*. University of Toronto Press, 1950.

Butor, Michel. *Répertoire II*. París: Minuit, 1964.

Buckley, Ramón. *Problemas formales en la novela española contemporánea*. Barcelona: Península, 1968.

Castellet, José María. *La hora del lector*. Barcelona: Seix Barral, 1957.

Cassirer, Ernest. *The Philosophy of Symbolic Forms*. New Haven: Yale University Press, 1955.

Cormeau, Nelly. *Physiologie du roman*. Bruselas: La Renaissance du Livre, 1947.

Corrales, Egea. *La novela española actual*. Madrid: Cuadernos para el Diálogo, 1971.

Curutchet, Juan Carlos. *Introducción a la novela española de potsguerra*. Montevideo: Alfa, 1966.

Davis, Robert M. *The Novel: Modern Essays in Critiscism*. New Jersey: Prentice Hall, 1969.

Eoff, Sherman H. *El pensamiento moderno y la novela española*. Barcelona: Seix Barral, 1965.

Feinberg, Leonard. *Introduction to Satire*. Bloomington: Indiana University Press, 1967.

Forster, E. M. *Aspects of the Novel*. New York: Harcourt, Brace and World, 1927.

Fuentes, Carlos. «Juan Goytisolo: la lengua común», en *La nueva novela hispanoamericana*. México: Joaquín Mortiz, 1969.

García Viñó, Manuel. *Novela española actual*. Madrid: Guadarrama, 1967.

Gil Casado, Pablo. *La novela social española*. Barcelona: Seix Barral, 1968.

Goldman, Lucien. *Pour une sociologie du roman*. París: Gallimard, 1964.

Goytisolo, Juan. *Duelo en el Paraíso*. Ed. Donald W. Bleznick. Massachusetts: Blaisdell, 1967.

Goytisolo, Juan. *Fiestas*. El. Kessel Schwartz. New York: Dell, 1964.

Humphrey, Robert. *Stream of Consciousness in the Modern Novel*. Berkeley: University of California Press, 1954.

James, Henry. *The Art of Fiction and Other Essays*. New York: Oxford University Press, 1948.

———. *The Future of the Novel*. New York: Vintage Books, 1956.

Kayser, Wolfgang. *Interpretación y análisis de la obra literaria*. Madrid: Gredos, 1958.

———. *The Grotesque in Art and Literatue*. Goucester: Peter Smith, 1968.

Keller, Gary D. *The Analysis of Hispanic Texts: Current Trends in Methodology*. New York: Bilingual Press, 1976.

Lewis, C. S. *An Experiment in Criticism*. London: Cambridge University Press, 1961.

155

Livermore, Harold Victor. *History of Spain*. New York: Grove Press, 1958.

Lobet, Marcel. *Escrivans en aveu*. Bruselas: Editious Brepols, 1962.

Lubbock, Percy, *The Craft of Fiction*. New York: The Viking Press, 1957.

Lukács, Georges. *Theorie du Roman*. París: Gonthier, 1963.

————. *La significación actual del realismo crítico*. México: Era, 1963.

Marra López, José Ramón. *Narrativa española fuera de España*. Madrid: Guadarrama, 1963.

Martínez Cachero, José María. *La novela española entre 1939 y 1969*. Madrid: Castalia, 1973.

Meerts, Christian. *Technique et vision dans Señas de identidad de Juan Goytisolo*. Frankfurt am Main: Vittorio Klostermann, 1972.

Nora, Eugenio G. A. *La novela española contemporánea*. 3 tomos. Madrid: Gredos, 1962. II.

Nedeau, Maurice. *Le roman français depuis la guerre*. París: N. R. F., 1963.

Mendilow, Adam A. *Time and the Novel*. New York: The Hogart Press, 1938.

Ortega, José. *Alienación y agresión en Señas de identidad y en Reinvindicación del Conde don Julián*. New York: Torres 1972.

Peñuelas, Marcelino. *Mito, literatura y realidad*. Madrid: Gredos, 1965.

Pérez Minik, Domingo. *Novelistas españolas de los siglos XIX y XX*. Madrid: Guadarrama, 1957.

Ríos, Julián. *Juan Goytisolo*. Madrid: Fundamentos, 1975.

Rodríguez Alcalde, L. *Hora actual de la novela en el mundo* Madrid: Taurus, 1959.

Romberg, Bertil. *Studies in the Narrative Technique of the First Person Novel*. Stockholm: Almquist and Wiksell, 1962

Sainz de Robles, Federico C. *Los movimientos literarios*. Madrid: Aguilar, 1959.

Sartre, Jean Paul. *Situations II*. París: Gallimard, 1948.

Schwartz, Kessel. *Juan Goytisolo*. New York: Twayne Publishers, 1970.

156

Spottiswoode, Raymond. *A Grammar of the Film*. Berkeley: University of California Press, 1967.

Thomas, Hugh. *The Spanish Civil War*. New York: Harper, 1961.

Torre, Guillermo de. *Historia de las literaturas de vanguardia*. Madrid: Guadarrama, 1965.

———. *Nuevas direcciones de la crítica literaria*. Madrid: Alianza Editorial, 1970.

Torrente Ballester, Gonzalo. *Panorama de la literatura española contemporánea*. Madrid: Guadarrama, 1956.

Torres Bodet, Jaime. *Tiempo y memoria en la obra de Proust*. México: Porrúa, 1967.

Wimsatt, William K. *Literary Criticism: A Short History*. New York: Alfred A. Knopf, 1962.

B. ARTÍCULOS:

Adams, Mildred. «Anything to Get Attention». *The New York Times Book Review*, LXIV, núm. 7 (febrero 15, 1959).

Anderson, Reed. «Señas de identidad: Chronicle of Rebellion». *Journal of Spanish Studies: Twentieth Century*, II, núm. 1 (Spring, 1974).

Aragonés, Juan Emilio. «Ultima promoción». *Ateneo*, III, número 79 (marzo 15, 1955).

Baquero Goyanes, M. «La novela española de 1939 a 1953». *Cuadernos Hispanomericanos*, LXVII, núm. 24 (julio-diciembre, 1955).

Bensousann, Albert. «Notas de lectura. Juan Goytisolo. *Don Julián*». *Libre*, núm. 3 (marzo-mayo, 1972).

Blajot, J. «*Fin de fiestas:* Tentativas de interpretación de una historia amorosa». *Razón y Fe*, CLXVI, núm. 778 (noviembre, 1962).

———. «Juan Goytisolo: *Problemas de la novela*». *Razón y Fe*, CLXI, núm. 747 (abril, 1960).

Bochet, D. «Luis Buñuel i Juan Goytisolo: postawa wobec zycia». *Kwartalnik Neofilologiezny*, X, núm. 3 (marzo, 1963).

Bosch, Rafael. «Juan Goytisolo: *Fin de fiestas*». *Books Abroad*, XXXVII, núm. 1 (Winter, 1963).

Bosch, Rafael. «Juan Goytisolo: *Para vivir aquí, La isla, La chanca*». *Books Abroad,* XXXVI, núm. 4 (Fall, 1962).

Bousoño, C. «Novela española en la postguerra». *Revista Nacional de Cultura,* XIX, núm. 124 (septiembre-octubre, 1957).

Cano, José Luis. «Tres novelas». *Insula,* X, núm. 111 (marzo, 1955).

————. «Con Juan Goytisolo en París». *Insula,* núm. 132 (noviembre, 1957).

————. «La novela española actual». *Revista Nacional de Cultura,* XX, núm. 125 (noviembre-diciembre, 1957).

————. «Tres novelas». *Insula,* XIII, núm. 136 (marzo, 1958).

————. «Juan Goytisolo: *Campos de Níjar*». *Insula,* XV, núm. 167 (octubre, 1960).

Castellet, José María. «El primer coloquio internacional sobre novela». *Insula,* XIV, núms. 152-153 (julio-agosto, 1959).

————. «Juan Goytisolo y la novela española actual». *La Torre,* III, núm. 33 (enero-marzo, 1961).

———— «La novela española quince años después (1942-1957)». *Cuadernos del Congreso por la Libertad y la Cultura,* número 33 (noviembre-diciembre, 1958).

Cela, Camilo José. «Dos tendencias de la nueva literatura española». *Papeles de San Armadans,* XXVII, núm. 79 (octubre, 1962).

Chambers, Dwight O. «Juan Goytisolo: *Problemas de la novela*». *Books Abroad,* XXXIV, núm. 3 (Summer, 1960).

Cirre, José Francisco. «Novela e ideología en Juan Goytisolo». *Insula,* XXI núm. 230 (enero, 1966).

Coindreau, Maurice E. «Homenaje a los jóvenes novelistas españoles». *Cuadernos del Congreso por la Libertad y la Cultura,* núm. 33 (noviembre-diciembre, 1958).

————. «La joven literatura (novelística) española». *Cuadernos del Congreso por la Libertad y la Cultura,* núm. 24 (mayo-junio, 1957).

Corrales Egea, José. «Entrando en liza. Cinco apostillas a una réplica». *Insula,* XIV, núms. 152-153 (julio-agosto, 1959).

Díaz Lastra, Alberto. «Entrevista con Juan Goytisolo». *Margen,* núm. 2 (1967).

Díaz Lastra, Alberto. «La nueva época literaria de España». *Siempre,* núm. 718 (marzo 29, 1967).

Díaz Plaja, Fernando. «Náufragos en dos islas: Goytisolo y Golding». *Insula,* XX, núm. 227 (octubre, 1965).

Domingo, José. «Del realismo crítico a la nueva novela». *Insula,* XXV, núm. 290 (enero, 1971).

———. «La última novela de Juan Goytisolo». *Insula,* XXIII, núms. 248-249 (julio-agosto, 1967).

Durán, Manuel. «Vindicación de Juan Goytisolo: *Reivindicación del Conde don Julián». Insula,* XXIV, núm. 290 (enero, 1971).

———. «El lenguaje de Juan Goytisolo». *Cuadernos Americanos,* XXIX (noviembre-diciembre, 1970).

Fernández Santos, Francisco. *«La resaca». Indice de Artes y Letras,* núm. 129 (octubre, 1959).

García Ponce, Juan, «Los libros abiertos». *Revista de la Universidad de México,* XVI, núm. 4 (diciembre, 1961).

Garciasol, Ramón. «Juan Goytisolo: *Problemas de la novela». Revista Nacional de Cultura,* XXI, núm. 135 (julio-agosto, 1959).

Gil, Ildefonso. «Sobre el arte de escribir novelas». *Cuadernos Hispanoamericanos,* núm. 121 (enero, 1960).

Giles, Mary E. «Juan Goytisolo's *Juegos de manos:* An archetypal Interpretation». *Hispania,* LVI, núm. 4 (diciembre, 1973), 1021-1029.

Goytisolo, Juan. «Writing in an Occupied Language». *New York Times Book Review* (March 31, 1974).

———. «Presentación crítica de José María Blanco White». *Cuadernos de Ruedo Ibérico,* XXXIII-XXXV (octubre, 1971 - marzo, 1972), 73-94.

Hernández, José. «Interview. Juan Goytisolo». *Modern Language Notes,* XCI, núm. 2 (marzo, 1976).

Iglesias, I. «Dos representantes de la nueva literatura española». *Cuadernos del Congreso por la libertad y la Cultura,* núm. 26 (septiembre-octubre, 1957).

———. «Juan Goytisolo: *El circo». Cuadernos del Congreso por la Libertad y la Cultura,* núm. 31 (julio-agosto, 1958).

———. «La actual novelística española». *Cuadernos del Con-*

greso por la Libertad y la Cultura, núm. 32 (septiembre-octubre, 1958).

Iglesias, I. «Juan Goytisolo: *Fiestas y La resaca*». *Cuadernos del Congreso por la Libertad y la Cultura*, núm. 36 (mayo-junio, 1959).

———. «Juan Goytisolo: *Campos de Níjar*». *Cuadernos del Congreso por la Libertad y la Cultura*, núm. 46 (enero-febrero, 1961).

Isasi-Angulo, A. Carlos, «Juan Goytisolo, intérprete de Blanco White». *Insula*, XXIX, núm. 335 (octubre, 1974).

Jones, William Knapp. «Recent Novels in Spain, 1936-56). *Hispania*, XL, núm. 3 (septiembre, 1957).

———. «Juan Goytisolo: *El circo*». *Books Abroad* XXXII, número 4 (Fall, 1958).

Levine, Linda G. «*Don Julián*: una 'galería de espejos literarios'». *Cuadernos Americanos*, CLXXXVIII (mayo-junio 1973).

Lukács, György. «Realismo socialista de hoy». *Revista de Occidente*, XIII, núm. 37 (abril, 1966).

Marra López, José R. «*Juan Goytisolo*: Problemas de la novela». *Insula*, XV núm. 158 (enero, 1960).

———. «Tres nuevos libros de Juan Goytisolo». *Insula*, XVII núm. 193 (diciembre, 1962).

Martínez Adell, A. «Juan Goytisolo: *Fiestas*». *Insula*, XII, núm 145 (diciembre, 1958).

Martínez Cachero, J. M. «El novelista Juan Goytisolo». *Papeles de Son Armadans*, XXXII, núm. 95 (febrero, 1964).

Maurín, Mario. «Juan Goytisolo: *Problemas de la novela*». *Cuadernos del Congreso por la Libertad y la Cultura*, núm. 41 marzo-abril, 1960).

Olmos García, Francisco, «La novela y los novelistas españoles de hoy. Una encuesta». *Cuadernos Americanos*, CXXIX núm. 4 (julio-agosto, 1963).

Ortega, José «Aproximación estructural a *Reivindicación del Conde don Julián* de Juan Goytisolo». *Explicación de Textos Literarios*, III, núm. 1 (1974).

Peden, Margaret. «Juan Goytisolo's *Fiestas*: An Analysis and Commentary». *Hispania*, L (septiembre, 1968).

Pingaud, Bernard. «Je, vous, il». *Esprit,* núm. 7-8 (julio-agosto, 1958.

Roberts, Gemma. «El autoengaño en *Juegos de manos* de Juan Goytisolo». *Hispanic Review,* XLIII, núm. 4 (Fall, 1975).

Rodríguez Monegal, Emir. «El mundo cruel y monótono de Juan Goytisolo». *Marcha,* XXI, núm. 967 (julio, 1959).

――――. «Destrucción de la España sagrada. Diálogo con Juan Goytisolo». *Mundo Nuevo,* núm. 12 (junio, 1967).

Rogmann, Horst. «El contradictorio Juan Goytisolo». *Insula* XXXI, núm. 359 (octubre, 1976).

Romero, Héctor R. «Juan sin tierra: análisis de un texto literario». *Anales de la novela de postguerra,* I, núm. 1 (Winter, 1976).

――――. «La evolución crítico-literaria de Juan Goytisolo». *Revista de Estudios Hispánicos,* VIII, núm. 3 (octubre, 1974).

――――. «Los mitos de la España sagrada en *Reivindicación del Conde don Julián*». *Journal of Spanish Studies: Twentieth Century,* I, núm. 3 (Winter, 1973).

Rosa, Julio M. de la. «Juan Goytisolo o la destrucción de las raíces». *Cuadernos Hispanoamericanos,* LXXIX, núm. 237 (septiembre, 1969).

Rousseaux, André. «Le pessimisme de Juan Goytisolo». *Le Figaro Littéraire,* núm. 753 (septiembre, 24, 1960).

Sáinz, Gustavo. «La denuncia de España en Juan Goytisolo». *Siempre,* núm. 703 (diciembre 14, 1966).

Salgarello, Acyr. «Estructura de la novela contemporánea: el ejemplo de Goytisolo en *Reivindicación del Conde don Julián, Hispanófila,* núm. 53 (enero, 1975).

Schwartz, Kessel. «The novels of Juan Goytisolo». *Hispania,* XLVII (mayo, 1964).

――――. «The United States in the Novels of Juan Goytisolo». *Romance Notes,* VI, núm. 2 (Spring, 1964).

Torre, Guillermo de. «Los puntos sobre algunas 'ies' novelísticas: Réplica a Juan Goytisolo». *Insula,* XIV, núm. 150 (mayo, 1959).

Valente, José Angel. «Lo demás es silencio». *Insula,* XXIV, número 271 (junio, 1969).

Vázquez-Dodero, J. L. «Introduction au roman espagnol d'aujourd'hui». *La Table Ronde,* núm. 145 (enero, 1960).

Vilar, S. «*Fin de fiestas,* de Juan Goytisolo». *Papeles de Son Armadans,* XXIV, núm. 76 (julio, 1962).

Villa-Pastur, J. «Juan Goytisolo: *El circo». Archivum,* VII, número 1-2 (enero-diciembre, 1957).

————. «Juan Goytisolo: *Fiestas». Archivum,* VIII, núms. 1-2 (enero-diciembre, 1958).

Weber, Jean-Paul. «Juan Goytisolo: *Jeux de mains». La Nouvelle Reveu Francaise,* VII, núm. 78 (junio, 1959).

INDICE

Introducción 5

Capítulo I. — Goytisolo: Obras e ideología . . . 12

Capítulo II. — Primer período: «Juegos de manos» y
«Duelo en El Paraíso» 33

Capítulo III. — La trilogía de «El mañana efímero» . 48

Capítulo IV. — El período objetivo 77

Capítulo V. — La trilogía del destierro 92

Conclusión 140

Bibliografía 155

Este libro acabóse de imprimir el día 31 de julio de 1979, en el Complejo de Artes Gráficas MEDINACELI, S. A., General Sanjurjo, 53 - Barcelona-25 (España)